Philippe Fusaro

Le colosse d'argile

Gallimard

De père italien, Philippe Fusaro est né en 1971 en Lorraine. Il a été libraire à Strasbourg, et a déjà publié trois romans. Passionné de photographie, il est convaincu que le travail sur la forme est essentiel. De la nouvelle au récit en passant par la biographie romancée, Philippe Fusaro puise «une fiction à partir d'une image».

« On a dit que la population italienne, qui était alors de quarante-cinq millions, avait soudain doublé, le 25 juillet 1943 : quarante-cinq millions de fascistes, quarante-cinq millions d'antifascistes. »

LEONARDO SCIASCIA

« Heureusement, le peuple italien n'est pas encore habitué à manger plusieurs fois par jour. »

BENITO MUSSOLINI,
1930

I

POPULAIRE

CHAPITRE 1

Cabaret

THÉÂTRE DE L'ALHAMBRA,

LONDRES, 1929

Sur la scène et le rideau noir dans son dos, le maître de cérémonie a plus de difficultés que d'habitude à obtenir le silence dans la salle. Son visage est blanc et ses lèvres sont redessinées avec du rouge. Il porte des gants blancs. Un costume noir aux revers qui brillent et des chaussures sombres.

Au-delà de trois mètres et jusqu'au fond de la salle, les spectateurs qui regardent le personnage sur scène n'aperçoivent du maître de cérémonie que ses mains blanches qui s'agitent avec, au-dessus, un visage peinturluré. Quant aux privilégiés assis aux premières tables, leurs yeux suivent le long fil noir de cette silhouette nerveuse qui s'adresse au public devant le rideau noir. Une silhouette qui se confond avec son ombre dessinée par le projecteur sur le parquet de l'Alhambra et qui, du coup, semble s'allonger d'une manière surnaturelle. Le maître de cérémonie s'exprime de toutes ses forces avec ses mains gantées qui semblent surgir de l'habit comme des ballons blancs qu'on viendrait de gonfler.

Un personnage qu'on dirait privé de pieds.

Un voile flottant dans la lumière.

Sans le vent.

Ladiiiiiies and Gentlemen! En exclusivité ce soir à l'Alhambra, rien que pour vous, elle a fait le voyage de Chicago jusqu'à Londres. Je vous prie d'applaudir avec tout l'enthousiasme qu'elle mérite la grande chanteuse, Miss Bessie Louis!

L'obscurité tombe d'un seul coup. On n'entend plus que le bruit du rideau qui tire sa révérence. Une fumée blanche glisse sur le sol et se déverse comme des rouleaux de vagues dans la salle. Des messieurs surpris éternuent, soufflent, agitent leurs bras comme s'ils craignaient d'étouffer. Arrive une femme du fond de la scène. Une femme qu'on entend seulement parce que ses talons claquent sur le plancher. La lumière d'un projecteur se déplace sur des lignées de têtes et court se jeter aux pieds de Miss Bessie. Les spectateurs voient alors de fines lanières qui brillent et s'enroulent sur des chevilles nues. Ses jambes sont nues. Sombres. Couleur café. Sa culotte est blanche. Blanche de plumes qui remontent jusqu'au cou et cachent le bout de ses seins. Un léger mouvement et tout le monde, même le plus petit bonhomme au fond de la salle, voit son dos nu qui luit sous la lumière. La main droite de Bessie est en l'air. L'index et le majeur tendus maintiennent à l'horizontale une fine cigarette de la même couleur que ses plumes.

Au bout, la fumée de la cigarette.

Tous les regards l'aspirent. Bessie Louis sourit. Et ses yeux sombres soulignés de noir menacent ceux qui croient pouvoir lui échapper. Ceux qui se permettraient de regarder ailleurs.

Mouvement délicat de la main droite.

L'index tapote sur la cigarette et de la cendre tombe sur la scène.

D'un coup, la lumière change de couleur.

Bessie Louis entame avec une sensualité de panthère un *Am I Blue?* sans équivoque.

Par on ne sait quel artifice, les plumes tombent une à une pendant la chanson. Les seins de Bessie pointent avec une fierté guerrière. Les hommes, devant, applaudissent avec politesse, classe et retenue. Les hommes du fond de l'Alhambra, les hommes camouflés dans l'ombre, ceux qui ne peuvent se payer le luxe d'une chaise, hurlent leur excitation. Ils donneraient leur mère en échange de la permission d'enlever les plumes avec leurs dents.

Bessie Louis avale une dernière fois la fumée de sa cigarette. Elle la retient un certain temps dans ses poumons. Elle jette d'abord la cigarette sur le sol. Elle recrache la fumée en même temps que, avec son pied ficelé de lumière, elle écrase le bout rougeoyant sur le parquet.

La musique cesse. Miss Louis retourne dans les ténèbres du fond de la scène, accompagnée par le projecteur jaune orange qui lui caresse le dos. Les talons claquent sur le bois jusqu'à ce que la lumière s'éteigne totalement.

NOIR

Les feux sont éteints.

La salle hurle, le public est excité.

Resurgit de nulle part le maître de cérémonie.

Les cris, les sifflements, les applaudissements l'empêchent d'imposer sa voix. Il tourne le dos au public, montre son cul et se le frappe avec ses gants blancs. Les sifflements redoublent. Ces messieurs se fichent de sa provocation. Le maître de cérémonie voudrait annoncer la suite. Ces messieurs tapent des pieds sur le parterre de la salle et créent un rythme qui prend des allures de marche militaire. Une rumeur gronde, une rumeur qui ne vient pas cette fois des premières rangées de tables devant la scène, une rumeur qui enfle dans l'obscurité du fond de l'Alhambra, là où siègent les moins fortunés. Là où on se contente de boire de la bière et où certains même ne connaissent pas le goût du brandy, encore moins celui du champagne. La voix de l'ombre se rapproche et gagne le devant de l'Alhambra. C'est une voix de ralliement. C'est une seule et même voix.

WE-WANT-CARNERA !

Ces trois mots répétés avec précision et tempo sont sur toutes les lèvres.

Bessie Louis a su charmer ces messieurs de l'assistance et émoustiller les mains propres devant la scène mais il est temps de passer aux choses sérieuses. Il est temps de céder la place à celui pour qui les spectateurs ont fait des kilomètres seulement pour l'approcher, pour se rendre compte par eux-mêmes si ce qu'on dit de lui dans le monde est vrai.

Alors, la voix du peuple s'élève.

WE-WANT-CARNERA !

Le maître de cérémonie s'incline.

Ce soir, c'est Londres qui gagne.

NOIR

Un boucan de tous les diables.

Le maître de cérémonie affirme qu'il n'a jamais assisté à un tel déchaînement dans cette salle. Léon, le manager de Primo Carnera, le presse pour qu'il s'installe sur scène. Les murs tremblent. Si les gens continuent de s'impatienter, ils finiront par balancer leurs verres puis les tables et les chaises. Le maître de cérémonie ne sait plus quoi faire. Cette soirée le dépasse, on ne l'a pas formé pour faire face à une bande d'excités. Sa tête passe à travers le rideau encore fermé et il prie Monsieur Carnera de *hurry up*, autrement dit de se grouiller.

Léon lui fait un signe pour lui annoncer que l'homme est prêt. Sa tête fardée disparaît. On entend à nouveau sa voix. Le public l'écoute annoncer le *Big Big Big Mister Primo Carnera.*

Enfin, le rideau s'ouvre...

La salle est à nouveau plongée dans le noir.

Un musicien dans le coin de la scène frappe sur son tambour. Le projecteur fuse et la lumière éclate sur le corps de Primo Carnera, debout sur un piédestal d'un mètre de haut. En simili-marbre.

Le public cligne des yeux, aveuglé par tant de lumière.

L'homme au centre de la scène n'est vêtu que d'un caleçon noir. Court. Ses pieds sont nus. Ils sont immenses. Ses poings ne sont pas encore gantés. Léon a pris soin de les envelopper avec des bandes blanches. Comme avant un combat.

Primo est debout.

Ses 2 m 05 s'ajoutant à la hauteur du piédestal, il est monstrueux parce que gigantesque.

Il ne peut s'empêcher d'afficher son sourire de dément. Ses cheveux sont gominés et coiffés en arrière. Ses jambes sont poilues.

Primo se met de profil. Il fléchit une jambe jusqu'à ce que son genou rejoigne le piédestal. Il tend un bras vers la gauche comme s'il voulait atteindre la lune, le soleil, les étoiles. La main pansée de blanc. Le public bat des mains à tout rompre.

Primo se remet de face. Il écarte ses jambes. Il écarte ses bras. Il gonfle son torse qui en vaut deux, voire trois.

Les sifflements couvrent le tambour. La lumière des projecteurs agit par flashs qui s'accélèrent au fil de la prestation de Primo.

Il descend de son piédestal. Le géant s'approche du devant de la scène. Primo se met en garde. Le maître de cérémonie et Léon sont inquiets. Ils **redoutent que le public à deux doigts de la crise** d'hystérie ne se retienne plus et ne grimpe sur scène.

Primo mime un combat contre son ombre. Les flashs crépitent. Primo est en sueur. Il balance ses

coups contre la lumière. Gauche, gauche, droite.
Les flashs crépitent encore. Ses cheveux bougent,
reviennent vers l'avant et lui tombent sur le front.
La foule est conquise. Elle imagine le match, elle
rêve de Carnera en Goliath, elle lui tend déjà la
coupe de Champion du monde. Dans les cou-
lisses, Léon presse les techniciens de refermer le
rideau.

Primo remonte sur son piédestal en faux
marbre et, pour le finale, il improvise la posture
d'un apollon qu'il a dû voir dessiné dans un livre
d'école quand il était gamin.

Le rideau clôt la scène.

NOIR

Primo Carnera est comme fou. Ce spectacle le
met dans un état de grande excitation. Il a l'impression d'être soulevé et ses pieds pourtant
énormes ne ressentent plus la dureté du plancher.
Primo est en l'air et rien n'a d'importance si ce
n'est cet instant de gloire, ce triomphe à Londres
dans cette salle bourrée de monde.

À la suite de son apparition en apollon de caba-
ret brillant de lumière, les organisateurs ont prévu
deux brèves exhibitions de trois rounds d'une
minute. C'est juste une façon de montrer ses

talents de boxeur face à des sportifs de seconde zone que le maître de cérémonie présente comme des champions. Des types aux noms qui impressionnent, des types aux mines patibulaires que le public hue dès qu'ils balancent un crochet. Mais, ce soir, c'est Primo, le champion. Il esquive tous les coups avec autant de souplesse qu'une ballerine. Primo, ce soir, est invincible et les coups, c'est lui qui les distribue. Son gauche semble mortel et les femmes présentes dans la salle détournent leurs regards dès que Primo frappe. Elles craignent le sang, elles craignent de voir les visages déformés, les mâchoires broyées sous la force des poings de cet Italien monstrueux.

En tout cas, cela ne fait aucun doute pour tous ceux qui sont présents, Primo est le futur champion du monde. On ne voit pas qui serait capable de lui opposer une résistance au-delà de quelques rounds.

Sa dernière exhibition — le clou du spectacle — le présente les poings gantés au-dessus de la tête avec, à ses côtés, le maître de cérémonie qui imite à la perfection l'accent italien de notre nouvelle étoile du show-biz londonien. *And now, Ladiiiiiiiies and Gentlemen, the very very very Big Champion is going to fight against...* Il marque un instant de silence pour faire suspense... *John Smile, Don Cry and Tom Pie!* Et c'est alors que trois nains déboulent à toute vitesse du fond de la salle jusque sur le ring. À coups de *sorry* et en jouant des coudes, ils se sont frayé un chemin sans peine. Les gens assis aux premières tables n'ont pas tout de suite compris de quoi il s'agissait. Seuls les rires des spectateurs debout près de la porte d'entrée leur ont permis de comprendre qu'une farce est en train de se jouer. Un gros homme juste devant la scène, en voyant les nains courir et se faufiler entre les cordes du ring improvisé, a été pris d'un tel fou rire qu'il a fallu l'emmener dehors prendre l'air et se calmer.

Éclairés par les projecteurs, les trois nains ont le visage maquillé de blanc comme le maître de cérémonie. Ils se rangent l'un à côté de l'autre au centre du ring et ils font face au public. Primo, lui, est immobile dans son coin. Il ne semble étonné ni par la taille ni par le nombre de ses adversaires. Il roule ses épaules, penche sa tête à gauche, puis à droite pour assouplir son cou. Il sautille. Surtout, il ne faut pas qu'il se refroidisse. Le combat n'est pas terminé et ce dernier match s'annonce extraordinaire. Mais revenons-en à nos nains. Ils sont torse nu et ils ont chacun une culotte à l'une des trois couleurs du drapeau italien : John Smile est en vert, Don Cry en blanc et Tom Pie en rouge.

Sur le ring entre un arbitre, Sir Queensbury. Il

porte une chemise blanche avec un nœud papillon comme tous les arbitres de boxe. Il prend le micro que lui tend le maître de cérémonie. Il présente les combattants et explique que les tailles additionnées des nains sont égales à celle de Mister Carnera, que c'était la seule solution pour lui faire rencontrer ce soir à l'Alhambra un adversaire d'une pareille stature. Dans la salle, tout le monde rit et applaudit le combat équitable.

Premier gong. À la demande de l'arbitre, chacun rejoint un des trois autres coins du ring encore libres. Les nains s'échauffent en faisant d'énormes bonds au point que l'arbitre, Sir Queensbury, est obligé d'intervenir et de les menacer d'annuler le match s'ils ne se tiennent pas à carreau.

Second gong. Le combat commence. Primo s'avance au milieu du ring. Il se met en garde. Il agite sa tête dans tous les sens. Les trois nains lui tournent autour, ils le menacent avec leurs gants qui paraissent immenses et ils gueulent : *Primo !* *You are dead !* Il ne sait plus qui regarder parce qu'il n'est pas fréquent d'être en même temps face à trois adversaires dans un carré limité par des cordes. Les nains s'excitent, courent dans tous les sens. L'un d'eux, à un moment, baisse sa culotte et montre ses fesses au géant qui éclate de rire. Et toute la salle avec... C'est alors que John, Don et

Tom, profitant de cet instant de faiblesse chez leur adversaire, poussent en chœur un cri de guerre : *Sus au géant !* Ils s'élancent sur les jambes de Primo et le renversent sur le tapis en gueulant des insultes qu'on croirait italiennes. John maintient les poings de Primo contre le sol, Don serre ses pieds tandis que Tom sautille sur les abdominaux de cette montagne de muscles comme pour mieux l'écraser encore. L'arbitre revient au centre du ring, il se retourne vers le public et gueule *Knock Out !* Les nains franchissent à nouveau les cordes, ils sont sur le devant de la scène, ils lèvent les poings au ciel pour fêter leur victoire avec leur public en délire.

Primo, allongé sur le tapis, ne bouge pas d'un poil. On se croirait dans une version délirante de Gulliver au pays de Lilliput.

Les spectateurs des premières rangées de tables jettent leurs mouchoirs, leurs chapeaux, des bouts de papier, des fleurs sur la scène.

Le rideau se ferme.

Les applaudissements et les rires n'en finissent plus, des gens sifflent comme toujours dans le fond de la salle. On rappelle Primo. Personne n'est rassasié. On en voudrait davantage, que le spectacle ne finisse pas, que Primo gonfle son poitrail, qu'il fasse trembler le plancher et tout Londres ce soir

Standing ovation for Mister Carnera!

NOIR

Primo Carnera de Sequals, Frioul

> « *Pour boxer, il faut avoir faim.* »
>
> GEORGES CARPENTIER

Si j'avais pas crevé de faim, j'aurais rien fait de tout ça... Ma mère me disait « Primo, t'as un trou gros comme ma main dans l'estomac ! » Depuis tout petit. Depuis que je me rappelle quelque chose. J'ai faim. Je suis né avec la faim dans mon ventre. Faut dire que j'étais grand. Je dépassais d'au moins deux têtes le plus grand des garçons de mon âge. Un trou gros comme la main... Tu parles ! Je pleurais Mamma, donne-moi encore de la polenta ! S'il te plaît ! Juste une tranche. Mais elle pouvait gratter le fond de la pentola, le coup des poissons qui se multiplient, ça faisait longtemps que ça se voyait plus dans la région.

Quand mes mains ont pu travailler, je suis allé en France, chez mon cugino parce que, au Frioul, le travail, c'était aussi rare que les patates. Et dans le train, mamma mia, j'en ai rêvé de trucs français qui se mangent... Ça sonnait riche comme pays. La France, Paris, la bonne cuisine, les jolies filles qui dansent dans les cabarets, le vin... Mais surtout, Dio mio, je croyais que j'allais pouvoir avaler des entre-

côtes longues comme mes cuisses. Avec plein de sauce. Sauf que, chez le cugino, j'ai vite compris la canzone. Du riz et basta! Et encore... Que le soir! À midi, c'était un bout de pain. Et je devais beaucoup boire pour pas m'étouffer. Je travaillais dur à porter du sable, du ciment, et si je faisais trop d'efforts mon appétit devenait grand, grand, grand mais pas le mangiare dans mon assiette. Alors, va fan culo, cugino! Quand le monsieur de Châteauroux m'a donné de l'argent pour mettre les gants, j'ai pensé tout de suite : Entrecôte. Je m'en fichais de prendre des coups. J'ai juste rêvé à après et à comment je mangerai un plat comme jamais j'en avais vu. Et j'ai eu mal, porca miseria! Mais j'ai aussi vite oublié les dolori quand la viande est arrivée. Avec la lèvre fendue, j'ai mangé... Le nez bouché de sang, j'ai quand même senti l'odore. Toute ma vie, je me rappellerai de cet odore!

Si j'avais pas crevé de faim, je jure, c'est vrai, jamais j'aurais mis les gants. Mais la faim est plus forte que tout. Et quand t'as pas un rond, qu'est-ce que tu donnes? Parce que t'as rien sans rien. L'entrecôte, elle arrive pas dans l'assiette avec des petits pieds et un papier où c'est écrit buon appetito. Le compte, il vient toujours à la fin du repas. Suffit pas de dire merci, de mettre sa veste et d'aller fumer una sigaretta dehors. Alors, pour ça, tu donnes tout ce que t'as. Ton corps. Ta vie. Parce que t'as rien d'autre à mettre sur le tapis. Les gens qui viennent à la boxe, ils savent ça. Que t'es qu'un pauvre gars. Que t'es pas un fils de. Qu'à ton pantalon, y a jamais eu de poches. Que t'es là, avec la culotte et le torse nu. Pas la peine de chercher plus loin. Tout le compte en banque, il est là. Sur deux mètres cinq et cent trente et quelques kilos. La bête est là et ça vaut un bel paquet de fric.

J'avais pas bien compris tout ça, les affaires, ce qu'on me demandait au début de ma carrière. Maintenant, je me laisserais plus faire mais maintenant, c'est trop tard. On n'a pas trois chances pour recommencer sa vie...

CHAPITRE 2

De l'or pour Primo

LE MOLOSSE D'ARCACHON, 1925

Tu pouvais pas manquer un type de cette taille. Ses vêtements étaient déchirés de partout. Des trous, des trous, rien que des trous. Il sentait l'animal et la misère. Son regard épiait les miettes. Ce type crevait la dalle et il errait comme un malfrat dans le quartier, il fouillait le sol avec ses yeux dans l'espoir de ramasser un bout de pain qui traînait.

J'ai cru d'abord que c'était un mendiant ou un manouche. Sauf qu'il ne réclamait rien à personne. Il vous évitait même. Je lui ai dit d'approcher. J'ai cherché une pièce dans ma poche et, quand il s'est rendu compte de ce que je m'apprêtais à faire, il s'est mis à paniquer. Il a bredouillé dans un mauvais français qu'il ne voulait pas d'argent. Il a dit qu'il bossait comme lutteur dans une baraque de foire qui campait à l'extérieur de la ville. Avec ses compères, il était venu présenter leur spectacle pendant deux ou trois jours dans la ville. Et comme ses patrons n'amassaient pas des fortunes, que les temps étaient rudes et que la nourriture ne débordait pas dans l'assiette, il se promenait là où le cirque s'arrêtait et partait à la recherche de quelques fruits tombés des arbres.

Je l'ai emmené au bistrot, je nous ai commandé du vin et un casse-croûte avec du beurre et du jambon pour notre grand gaillard. Bien sûr, il était gêné parce qu'il n'avait pas un sou pour payer.

— Tsst! Tsst! Tais-toi donc et mange! Et puis, je comprends rien à ce que tu me racontes avec ton accent d'espingouin.

— Je suis italien, Monsieur. Juan de la Guadalajara, c'est mon nom de lutteur à la *baracca*. Mon vrai nom, c'est Primo. Primo Carnera.

Il me tend la main.

— Moi, c'est Paul Journée. Je suis boxeur.

Il me raconte alors qu'il a *fait le boxeur* l'année dernière à Châteauroux. Quelqu'un lui avait offert vingt-cinq francs pour monter sur le ring. À ce prix-là, il se serait battu contre Jack Dempsey tellement il mourait de faim. Tout ce qui comptait, c'était la taille du morceau de viande qu'il devait s'enfiler après le combat... Il se marre en me disant qu'il en avait oublié la douleur des coups encaissés.

Ni une ni deux, j'ai emmené Primo à la salle de boxe où j'étais venu retrouver un vieux copain.

— Mets-toi torse nu, Primo, on va s'amuser un peu. Je veux voir comment tu te défends. Allez! C'est juste pour rire. Tu me dois bien ça, je t'ai payé la bouffe. Maintenant, amène-toi!

J'ai enlevé mon maillot. J'ai aidé Primo à mettre les gants, à les ficeler comme il faut.

— Voilà, Primo, essaye de me frapper pour voir. Avec ton bras gauche. Plus fort! N'aie pas peur, mon gars, je ne vais pas te flanquer une rouste tout de suite!... Hop! C'est mieux, là. Réessaye pour voir. Et enchaîne avec ta droite... Hop! Hop!... Pas mal, mon gars, pas mal... T'es un poil lourdaud mais t'as une sacrée frappe pour un bon-homme qui n'a boxé qu'une fois. Bouge un peu sur le ring, montre-moi comment tu te déplaces... Saute un peu sur tes jambes... Arrête-toi et frappe-moi!... Voilà! C'est mieux comme ça!... Regarde-moi maintenant et essaye de me toucher au visage! Mais non! N'aie pas peur! Boxer, c'est mon métier, je vais pas me laisser toucher facilement, allez! Frappe!... Ouais, Primo... Ouais, c'est bon, maintenant, on arrête. Je ne veux pas t'enquiquiner avec mes histoires.

Je suis descendu du ring et j'ai remis mon maillot, mon pull. C'est sûr, Primo n'était pas une lumière en matière de boxe. Il y avait du pain sur la planche si on voulait en tirer quoi que ce soit. Mais quel morceau, quelle présence sur le ring! J'ai aussitôt pensé alors qu'il fallait prévenir Léon Sée. Il avait été mon entraîneur et il était toujours fourré dans les parages de la salle Wagram, encadré d'une écurie de cogneurs. Des pros. Des mecs qui en ont dans l'estomac, qui n'ont pas peur de monter au front et j'ai idée que mon géant pourrait l'intéresser.

La baracca

Fallait bouffer. Et j'en avais marre de me casser le dos à porter des sacs de ciment pour le cugino. Pour quoi? Juste un lit — de la paille dans un grenier dégueulasse, humide — et le manger — le minimum pour que j'aie assez de forces le lendemain au travail. Et pas un sou de plus. J'aurais d'ailleurs pas su où le mettre, ce sou, parce que mes poches, elles étaient trouées. Bouffées par les rats du grenier. Je me serais pas plaint si j'avais eu des trous qu'aux poches. Mais si vous voyez bien, des trous, j'en avais partout. Aux genoux. Aux bouts de ce qui ressemblait à des chaussures. Au bas des fesses — ma mère serait morte de honte si elle m'avait vu dans cet état et elle aurait étranglé le cugino avec son fil qui sert à couper la polenta. Aux coudes, j'en avais des trous. Un autre sur l'épaule droite. Et surtout, un énoooooorme au ventre.

Un jour, la baracca de foire, elle était passée par là, je me suis fait embaucher. Avec mon physique, c'était pas compliqué... Et je suis parti à l'aventure. J'ai à peine dit au revoir au cugino. Des bras comme les miens, il aura besoin de trois gaillards costauds pour les remplacer. Il tirait une de ces gueules quand j'ai dit Addio! J'ai dit : t'avais qu'à me donner à manger comme il faut. Et lui, il m'a répondu : si tu crois qu'avec ces romanichels tu vas mieux bouffer, tu te goures! Et il avait raison. Mes assiettes ont pas doublé de volume. Au moins, je me cassais plus le dos avec des sacs de ciment. À la baracca de foire, les poids, ils étaient faux.

Le plus drôle, c'était avec la femme de Monsieur Ledudal. Alphonse Ledudal. Le patron. Sa femme, elle se faisait appeler Thérèza de la Plata. Sa figure devenait rouge comme la crête d'un coq. Et tout le monde y croyait à son truc. Jamais elle aurait été capable de soulever jusqu'aux chevilles un sac de ciment, celle-là, mais quand elle voulait balancer des torgnoles à Alphonse elle y allait pas avec des carezze. J'ai pas vu le patron deux fois avec la même tête. Un jour, il avait un œil au beurre noir. Un autre jour, son visage était plein de griffures. Je me souviens encore de quand il est arrivé au travail avec un gros bandage sur le crâne. La grosse Théréza lui avait fracassé une bouteille dessus. Il pissait le sang. Et c'est Johnson, le boxeur de la troupe — son vrai nom, c'était Rémi Delavallade —, qui l'a trouvé étalé par terre, sonné par le coup. Théréza, il lui restait un morceau de la bouteille dans la main et elle gueulait. Johnson, il a d'abord cru qu'elle avait tué le vieux. Mais comme disait mon père, Sante Carnera, la mauvaise herbe, suffit pas de pisser dessus pour qu'elle crève. Et la peau d'un homme, ça se raccommode mieux qu'une vieille chaussette. Pour soigner le pauvr'Alphonse, Johnson, il a dû balancer son poing dans la tronche de Théréza. Elle avait bu comme trois cochons et un escadron de Polonais. Elle voulait que personne touche à son chéri. Johnson a hurlé qu'on pouvait pas le laisser se vider de son sang. Il aurait gueulé dans l'oreille d'un sourd que c'était pareil. Avec un âne, on fait pas un cheval de course. Johnson, il a fait partir un swing qu'elle a pas vu venir. Il a enfin porté la vieille — et c'était pas un poids plume celle-là — jusque dans son plumard et il a pris son temps pour soigner Monsieur Ledudal.

Avec ça, le lendemain, l'équipe, elle cassait pas la baracca. Alphonse, il a dû utiliser le porte-voix pour attirer les six ou huit péquenots d'un bled. C'était pas la forme, il baratinait pas comme d'habitude parce que, juste de remuer les lèvres, ça lui réveillait son dolore.

Thérèza, elle a fait son travail sans parler et sans rougir. La joue gauche enflée comme un melon, elle pensait qu'à rentrer vite dans la roulotte et boire de la tisane.

Johnson tirait la gueule parce que ses patrons commençaient à le faticare. Il a rossé deux pauvres types en deux secondi. Ensuite, personne a voulu se battre contre lui. La troupe comptait sur mon numéro pour pas rentrer les mains vides à la baracca.

J'ai gonflé mes pectoraux. Je devais rire très fort. J'avais des bracelets en cuir autour de mes poignets et je frappais tout le temps mes deux mains, l'une contre l'autre, comme ça, Alphonse, il disait qu'il offrait deux cents francs à celui qui réussirait à mettre par terre les épaules de Juan de la Guadalajara, le lutteur champion d'Espagne — moi ! Après, il allait dans le public et il remuait les billets devant les yeux brillants des types qui rêvaient d'or.

Pour manger à sa faim, c'était pas très efficace comme travail. J'étais juste content de pas être rentré chez le cugino. Je crevais la dalle, d'accord. Mais Johnson — Rémi — était un bon copain et on a beaucoup rigolé à jouer les faux hommes forts. À dormir dehors. À nous remplir le ventre les rares fois où le spectacle attirait du monde. À compter les points des combats entre Alphonse et Thérèza.

PAUL JOURNÉE PROMET DE L'OR
POUR PRIMO

Léon va s'occuper de toi.
mon ami Léon
un père
il fera de toi un grand boxeur
il t'emmènera en Amérique
America ! Primo
il t'emmènera dans ton pays
tes parents seront fiers de toi
car, tous, ils sauront ton nom
Primo Carnera de Sequals
et plus jamais tu ne connaîtras la faim
plus jamais tu n'auras froid
les gens paieront pour te voir
à moitié nu
braver l'homme qui sera en face de toi
Léon t'apprendra à ne pas avoir peur

à ne pas avoir mal
à ne pas tomber
tu es un géant, Primo
sois simple
bats-toi
ce sont les autres qui mourront.

LE COUP DE FIL DE PAUL JOURNÉE

— Rassure-moi, Paul, tu as lu ma lettre jusqu'au bout?

— Oui, mais...

— Alors tu as compris que ma réponse est non.

— Excuse-moi d'insister, Léon, mais ce type est un phénomène. Si tu veux le voir en entier, tu es obligé de faire un grand mouvement de la tête. C'est le colosse de Rhodes, sauce spaghetti. Je l'ai fichu sur le ring et sa gauche a de l'allure. Je suis certain que, avec du travail, sa frappe décapitera des gros calibres. Viens le voir, je te dis. Tu me connais, Léon? Je ne suis pas du genre à te faire perdre ton temps. J'ai conscience de ce que ça représente un voyage de Paris jusqu'à Arcachon. Et si j'insiste, crois-moi, c'est parce que ce bonhomme n'est pas ordinaire. Allez, Léon! Fais-moi plaisir, s'il te plaît, rejoins-moi! Si je me trompe, je te rembourse ton billet de train. Est-ce que ça te va comme ça?

— Je te préviens, mon ami, si je me déplace juste pour bouffer des huîtres, je ne m'en prendrai pas seulement à ton porte-monnaie.

— Demain, tu me remercieras, je te le promets!

— On verra ça.

Et c'est ainsi que les choses ont commencé...

Primo Carnera de Sequals, Frioul

Je peux pas retourner dans mon pays dans cet état.

Des trous partout dans mes habits. Des loques! Je porte des loques et ma mère, elle mourrait de me revoir comme ça, plus pauvre encore que Job et surtout, que Carlo qui habitait au coin de la rue et qu'est rentré à Sequals trois mois plus tard parce qu'il a pas réussi à émigrer correctement. Mon père, c'est sûr, il préférerait ne plus me serrer dans ses bras de son vivant plutôt que de savoir que je suis aussi pauvre que quand j'ai laissé mon pays.

Sur le quai de la gare d'Udine, ils m'ont donné tout ce qu'ils ont pu ramasser. Emprunter. Je peux pas les décevoir. Les umiliare. J'ose pas imaginer que je rentre à la maison sans chaussures neuves aux pieds. Des chaussures en cuir. Et avec un beau chapeau. Et pas en paille...

Si Paul dit la vérité. Que lui et Léon, ils feront de moi un champion de boxe, alors je pourrai rentrer au pays. Peut-être avec une voiture. Je leur apporterai des bonnes choses à manger. De la nourriture française ! Mes parents, ils ont jamais mangé français de leur vie. J'apporterai du vin aussi. Du bordeaux. Ils seront les premiers paysans au Frioul à goûter le bordeaux. Je les entends déjà crier dans tout Sequals, le village où je suis né, le village où j'ai grandi, que Primo est de retour. Primo, ce grand bonhomme qui s'est fait un nom chez les pugili. Un poids lourd comme Jack Dempsey.

CHAPITRE 3

Léon,
le roi de la magouille

2 juin 1932, Rome

J'ai vécu dans le mensonge.

Toutes ces années où j'ai cru que j'étais le plus grand, le plus fort. Une bulle de mensonges. Sauf que moi, j'ai rien menti. Parce que mentir, déjà, je savais pas faire. On m'a pas appris. Ma mère, elle disait toujours à moi, à mes frères, que si elle nous attrapait avec le mensonge dans la bouche, elle nous brûlerait la langue. Et quand elle disait ça, elle agitait le tison devant la figure. Et moi, Secondo et Severino, on bougeait pas... Alors, les magouilles de Léon, je jure que j'ai rien su. Faut juste que j'explique. Léon, il a trompé les gens, il a trompé le public, il a trompé le monde de la boxe et on est tous d'accord là-dessus. Mais Léon, c'est moi qu'il a trahi en premier. Léon, mon second père, l'homme qui m'a sauvé de la misère. L'homme qui m'a donné à manger. Qui m'a rempli le ventre comme c'était jamais arrivé de

la vie. Léon qui m'a habillé. En homme. En quel-
qu'un qu'on respecte. Léon, il m'a offert ma première
paire de chaussures. Des chaussures de boxe. Des
chaussures tout en cuir. Avec des lacets. Des chaus-
sures à ma taille. Même que, avant celles-là, je
croyais pas que ça existait des chaussures pour mes
pieds...

Le scarpe

Rencontrer Primo Carnera était impressionnant. Il mesurait 2 m 05 mais surtout, ses pieds
vous choquaient tant ils étaient monstrueux. On
peut même dire qu'il n'existait pas de pieds plus
immenses au monde. C'était bien simple, dès l'âge
de seize ans, le pauvre garçon n'était plus capable
d'enfiler des chaussures. Déjà, il souffrait de faim.
Désormais, il devait aussi se soucier de mettre ses
pieds à l'abri du froid, de l'humidité. Pour cela, il
avait récupéré des godasses fichues, les plus
grandes qu'on lui avait données. Il en coupa les
bouts pour permettre à ses orteils phénoménaux
de respirer.

Avant d'enfiler ses « machins », il mettait des
chaussettes épaisses tricotées par sa mère et priait
le ciel de le protéger de la pluie, de la neige.

Les « sandales » de Primo faisaient sourire tous

les gens qu'il rencontrait dans la rue parce que, sous la pression exercée par le poids du molosse, elles recrachaient par-devant la poussière comme des soufflets.

Malheureusement, même ceux qui prenaient en pitié ce grand garçon ne pouvaient lui venir en aide parce qu'ils avaient beau fouiller leur maison de la cave jusqu'au grenier, des chaussures de cette taille, personne n'en avait encore vu.

En fin de compte, Léon Sée décida de tenter l'expérience avec Primo Carnera et, quelques jours après leur rencontre à Arcachon, il lui fit prendre le train jusqu'à Paris.

Sur le quai de la gare Montparnasse, Léon et son soigneur, Maurice Eudeline, l'accueillirent et lui serrèrent la main avec plus de chaleur que la première fois. Léon avait fait son choix. Primo, s'il travaillait bien, serait son protégé et il le traiterait comme son propre fils.

Ils partirent tous les trois en voiture jusqu'à la salle de boxe à Saint-Germain-en-Laye. Ils dirent ensuite à Primo de se déshabiller dans les vestiaires. Léon invita Primo et Maurice à faire connaissance. Mais Primo était perdu dans ses pensées, décalé par ses changements si soudains, si inattendus. Être passé en si peu de temps de vagabond à grand espoir sportif, ça lui avait déréglé la boussole. En culotte dans les vestiaires, il se sentait comme un grand gamin. Ses yeux mélancoliques se baladaient partout dans la pièce. Les mains épaisses, immobiles entre ses cuisses, Primo frissonnait.

Léon réapparut. Il fit monter le géant sur la balance.

132 kilos.

— Belle bête ! commenta Maurice. On a du pain sur la planche, mon gaillard.

Léon prit une boîte dans un sac en papier. Il la tendit à Primo.

— Tiens ! C'est pour toi. Allez ! Fais pas le timide, ouvre donc cette boîte !

Les doigts énormes ôtèrent le couvercle avec beaucoup de délicatesse. Le bruit du papier chatouilla les oreilles du jeune Carnera. Quand il prit conscience de ce qu'il tenait dans ses mains, il ne put s'empêcher de fondre en larmes.

Des chaussures...

Des chaussures de boxe. Neuves. En cuir. À sa taille. C'était un miracle ! Dans sa tête, il avait fait une croix sur ses pieds et son rêve de se chausser correctement.

Primo se redressa d'un bond et il serra Léon dans ses bras et il le remercia avec une maladresse touchante parce que c'était la première fois de sa vie qu'il recevait un cadeau de cette valeur. À cet instant, Primo pensa à son père, à sa mère qui n'auraient jamais eu les moyens de lui offrir des chaussures faites sur mesure. Il aimerait que ses parents le voient en tenue de boxeur. C'est peu de chose, au fond. Une culotte, des chaussures neuves et le corps vigoureux qu'ils lui ont donné. Ils seraient fiers de lui, fiers de leur fils égaré en France et pas à sa place dans cet univers de frappes, de sueur et de tabac.

— Léon, tu es un second père pour moi.

— Me fais pas tout un pataquès, Primo, c'est que des pompes. Et d'ailleurs, sache que tu n'aurais pas le droit de monter sur un ring en chaussettes. Faut pas t'imaginer que c'est un cadeau pour tes beaux yeux. Je compte bien les rentabiliser, ces chaussures. T'as intérêt à bosser dur. Sinon, je te botte le cul avec tes pompes. Tu sentiras la différence d'avec des grolles d'un mec normal.

Ruffiano !

C'est comme ça qu'on dit en italien. Mon ami Léon, un ruffiano ! Depuis le début. Depuis mon premier combat contre Léon Sebilo. Il a payé mes adversaires pour qu'ils se couchent. À mes pieds. Des chiens obéissants. À l'odeur de l'argent. Aux billets que Léon agitait sous le nez. Et moi, fidèle à mon caractère, j'ai vu que du feu à ses magouilles. Pire, j'ai cru que j'étais un grand boxeur. Un champion dans l'âme.

J'ai cru que du sang de champion coulait dans mes veines. Que, pour une fois dans ma vie, j'étais bon à quelque chose.

Un jour, j'étais seul à la salle de boxe et j'ai fouillé dans le tiroir de son bureau parce que je cherchais mes papiers d'identité. Et là, je suis tombé sur le carnet de Léon. O Dio! Je l'ouvre, ce carnet, et je découvre ça...

1928

Léon Sebilo	KO 2	Combat arrangé
Joe Thomas	KO 3	Combat arrangé
S. Ruggirello	KO 4	Combat arrangé
Epifanio Islas	V.10	Combat arrangé

1929

Marcel Nilles	KO 3	Combat arrangé
Jack Humbeeck	KO 6	Combat arrangé
Joe Thomas	KO 4	Combat arrangé
Constant Barrick	KO 4	Combat arrangé
Nicolaieff	KO 1	Combat arrangé
Franz Diener (disqualifié)	P.1	Combat sincère
Moïse Bouquillon	V.10	Combat sincère
Young Stribling	V.4	Combat arrangé
Franz Diener	KO 6	Combat sincère
Young Stribling	P.7	Combat arrangé

1930

Big Boy Peterson	KO 1	Combat arrangé
Elziar Rioux	KO 1	Combat arrangé
Cowboy Owens	KO 2	Combat arrangé
Buster Martin	KO 2	Combat arrangé
Jim Sigmon	KO 1	Combat arrangé
Johan Erickson	KO 2	Combat arrangé
Farmer Lodge	KO 2	Combat arrangé
Ace Clark	KO 6	Cas douteux
Sully Montgomery	KO 2	Combat arrangé
Chuck Wiggins	KO 2	Combat arrangé
Franck Zavita	KO 1	Combat arrangé
George Trafton	KO 1	Combat arrangé
Jack McAuliffe	KO 1	Combat arrangé
Neil Clisby	KO 2	Combat arrangé
Léon Chevalier (disqualifié)	KO 6	Combat sincère
K.O. Christner	KO 4	Combat arrangé
George Godfrey (disqualifié)	V.4	Combat sincère
Bearcat Wright	KO 4	Combat arrangé
George Cook	KO 2	Combat sincère
Riccardo Bertazzolo	KO 3	Combat sincère
Pat McCarthy	KO 2	Combat arrangé
Jack Gross	KO 4	Combat arrangé
Jim Maloney (décision volée)	P.10	Combat sincère
Paolino Uzcudun	V.10	Combat sincère
Reggie Meen	KO 2	Combat sincère

1931

Jim Maloney	V.10	Combat sincère
Pat Redmond	KO 1	Combat sincère
Umberto Torriani	KO 2	Combat arrangé
Bud Gorman	KO 2	Combat arrangé
Knut Hansen	KO 1	Combat sincère
Roberto Roberti	KO 3	Combat sincère
Armando de Carlos	KO 1	Combat sincère
Jack Sharkey	P.15	Combat sincère
King Levinsky	V.10	Combat sincère
Vittorio Campolo	KO 2	Combat sincère

J'ai demandé à Léon des explications. Au début, il a pas su trouver les mots. Sa moustache tremblait. Jamais j'avais vu ça. Pendant toute notre discussion, il la peignait avec la main. Pour la calmer, la moustache.

J'ai jeté de colère le carnet par terre et j'ai frappé avec le poing sur le bureau. En dehors du ring, j'étais pas violent. Jamais. J'étais pas capable... Pourquoi, Léon ? Pourquoi ?... Que tu triches, que tu fasses de la combine, O.K. ! mais pourquoi me mentir ? Me prendre pour le dernier des imbecili, moi ? Moi, moi, et moi qui te considère comme mon père ? Tu m'as fait croire que j'étais un as de la boxe et tous mes adversaires, ils riaient dans leur vestiaire après le combat, les poches remplies de pognon... Le pognon qui venait de ma bourse.

Je suis une marionnette avec un sourire crétin. Le monde se fend la poire. Il applaudit la farce, il oublie de regarder les ficelles.

Je suis Primo Carnera, le couillon de service. Et je paye pour ça.

Léon me tape sur l'épaule et ça, c'est comme un coup de couteau dans le dos. Il dit que s'il m'avait confié son « Idée », j'aurais jamais accepté les règles du jeu. Et j'aurais jamais été sincère. Qu'on se serait rendu compte de l'anguille sous la roche. Il a dit qu'il fallait pas rêver, que si j'avais pris la voie classique du métier, les boxeurs, ils m'auraient arrangé la figure et qu'au bout de six mois, pas plus, j'aurais fait la valigia pour l'Italia. Il a dit qu'il a cru en moi dès le début, il a su que j'étais quelqu'un d'exceptionnel, un cas particulier dans le milieu, que c'est pour ça qu'il a jamais baissé les bras pendant mes entraînements. Que si j'étais devenu l'athlète que je suis, je devais lui dire merci. La discipline, la sueur, c'est lui. Et que s'il avait pas cru en moi, il se serait pas donné la peine de venir à Arcachon et surtout, de me payer mon billet de train pour Paris.

Léon, je lui dis, je suis l'homme le plus malheureux du monde.

Je me sens renié.

Je veux partir.

En Italie.

Le Duce m'a proposé une nouvelle équipe. Il m'a

écrit que mon pays m'adore, qu'il a mal de me voir traîner les scarpe en Amérique, que ma vraie place est près de lui, dans le Royaume d'Italie. Le Duce a dit que je manque à mes parents. Qu'ils sont vieux. Qu'ils méritent pour leurs sacrifices que je revienne m'occuper d'eux.

Le Duce veut que je sois un champion sans tricheries. La puissance du peuple italien, elle a pas besoin des dollars des Américains. Le sang de la patrie tout entière coule dans mes veines et que les miens m'attendent et que ce serait dommage de les décevoir.

Léon, j'ai pas voulu dire oui au Duce. Léon, t'as même été mieux que mon propre père. J'ai pas voulu dire oui... Pas avant le carnet noir.

Toi, tu penses argent, argent, argent. Tu penses au succès, à te montrer partout, à faire buona figura. Moi, je pense à toi quand je combats. C'est pour toi que je passe à travers les cordes.

J'ai mis mon chapeau et j'ai baissé la tête avant de franchir la porte.

J'ai pas répété à Léon que quand j'ai téléphoné à Mussolini pour lui dire que j'acceptais son offre, que *je rentrais au pays, le Duce m'a dit que j'avais fait le bon choix. Qu'il était honoré. Au nom du peuple italien, ému de savoir que son héros revenait sur sa terre.*

Un moment historique, il a dit. Que les temps étaient finis où on me trompait et où ce juif de Léon Sée me volait mon argent. Que voler l'argent de Primo Carnera, c'était voler le Duce en personne.

J'ai pas répété ça à Léon.

Parce que Léon m'a toujours fait profiter de mes « victoires ». Ce qu'il filait à l'adversaire, il le perdait aussi. Ça entrait dans sa tactique. Soit. Mais j'ai pas manqué. J'ai eu plus que je rêvais. J'ai beaucoup distribué. Confié. Prêté. Jeté par les fenêtres. Ça faisait le bonheur des gens autour de moi et je demandais pas mieux. C'était ma faute à moi, ça. Mamma m'a toujours prévenu, Primo, tu es trop gentil avec tes amis. Il te restera pas ta chemise sur le dos. C'est déjà bien si tu rentres pas cul nu à la maison.

Mais c'est dans ma nature. J'ai pas été habitué à avoir quelque chose à moi. Le peu que j'avais, je le partageais. Et c'est pas la faute à Léon.

Mais je rentre au pays.

J'ai mon honneur.

J'ai pas le droit d'accepter qu'on me trompe.

L'Italie me manque.

J'ai la nostalgia et je regrette pas de m'être installé

à Rome. *Même si Rome, c'est pas tout à fait chez moi. Mais ici, je suis bien.*

12 SEPTEMBRE 1928,
SALLE WAGRAM, PARIS

Il pense aux champions qui entrent dans la salle avec un peignoir de couleur vive et brillant de lumière.

Ce soir, il se dirige vers le ring et il regarde ses pieds. Il a la frousse de lever les yeux, de se rendre compte du monde. Il est torse nu et porte une serviette blanche autour du cou. Une serviette qui râpe. Une serviette qui a servi à mille cous.

Il sent que la salle Wagram est pleine. Léon est venu le lui annoncer dans le vestiaire et il a la trouille de sa vie.

C'est son premier combat dans la cour des grands. Ce soir, il se bat contre Léon Sebilo et il ne veut pas décevoir.

Il se glisse entre les cordes, il se redresse sur le ring. Il voit son adversaire. Il lui adresse un sourire et l'autre est surpris. Son manager lui met les gants.

Primo fait deux têtes de plus que lui. Ça le rassure parce qu'il se dit que ça doit pas être trop compliqué d'assommer un bonhomme de cette taille.

Léon — son Léon — l'emmène dans son coin. Il l'aide à enfiler les gants. Léon est plus doux qu'à son habitude. Il lui donne des conseils et, s'il écoute ce qu'il lui dit de faire, tout devrait marcher comme sur des roulettes. *Te laisse pas enquiquiner par ce minus !* Il lui fourre le protège-dents dans la bouche. Il continue de lui parler avec des gestes comme les gens de son pays. Avec la tête, Primo lui fait signe qu'il comprend. Il n'a plus si peur maintenant. Il n'a pas oublié de se signer dans le vestiaire. Il a cousu l'image de la Madonna à l'intérieur de son short. L'image que sa mère lui avait mise dans la main sur le quai de la gare d'Udine quand il est parti pour la France. Il pense à elle, il pense à son père et à ses deux frères qui n'imaginent pas ce qu'il est sur le point de faire...

LE PREMIER ROUND

Madonna, Madonna, Madonna, c'est mon tour. Je sautille et je sautille. Léon dit qu'il faut toujours sautiller. Montrer que je suis souple. Que j'ai

*pas l'air d'un roc. Le type en face, Léon Machin —
je me souviens déjà plus de son nom — est plus sûr
dans ses gestes. C'est un boxeur, je le vois bien.*

Je fais un pas vers lui.

Il recule comme s'il avait vu un monstre.

*Le public éclate de rire. Moi aussi, j'ai envie de
rire mais c'est pas ma faute.*

J'envoie une gauche.

Je teste.

J'ai la garde haute.

*Je vais pas le laisser me toucher. Faudrait qu'il
saute en l'air, qu'il fasse des pirouettes, le nain...
Madonna! Si tu me touches, fais gaffe à toi!*

Je balance une autre gauche.

Il se baisse.

*Mon poing rate la cible. Je me bats contre le vent
et j'en perds l'équilibre. J'entends les rires mais je me
décourage pas.*

Je sautille de nouveau.

Faut pas que j'oublie... Toujours sautiller.

*Le mec aussi se bidonne mais tu vas voir, ciccio,
tu peux pas filer à l'autre bout de la terre. Un ring,
c'est pas grand. Y a tout juste de la place pour trois.*

Je m'avance et lui, il se jette sur moi.

Il frappe dans mes gants.

Je ferme les yeux.

Gong!

Madonna, je suis sauvé!

MINUTE DE REPOS

Maurice, le soigneur, passe l'éponge sur le visage de Primo. Il lui donne un peu d'eau. Léon attaque tout de suite, il a moins d'une minute pour l'encourager, le conseiller.

« Ce type est un boxeur au rancart. Faut pas que t'aies peur ! Tu lui rentres dans le bide. Le métier, ça vient pas comme l'Esprit saint. Tu dois encore travailler dur mais ça doit pas t'empêcher de lui filer une raclée. T'as les moyens de le faire, t'as du talent, beau gosse ! Regarde ton Sebilo, il a le cœur qui bat la chamade au bout de trois minutes et toi, t'es à peine essoufflé. Au gong, je veux te voir foncer sur lui comme un taureau et tu me l'écrases, ce tocard ! Pigé ? »

SECOND ROUND

Léon a raison.
Faut pas que je me laisse impressionner. Madonna,

aide-moi! Je suis grand, je suis lisse. Et c'est pas parce que c'est mon premier combat qu'il faut que je me couche par terre.

Je respire à fond, O Dio, aide-moi!

Primo fonce sur le type et il lui envoie une gauche, puis aussitôt une deuxième gauche.

Sebilo baisse sa garde à cause de la puissance de ces deux coups.

Il tombe presque et là, il lui balance un upper-cut du droit qui lui décolle le menton et le soulève au-dessus des cordes.

Il voit des étoiles, il s'écroule à plat sur le tapis. Primo regarde la poussière que le corps de son adversaire fait voler en tombant sur le ring. L'arbitre s'approche, lui fait signe de s'écarter et il commence à compter jusqu'à dix.

Madonna, faites qu'y se relève pas!

Dans la salle, un silence de mort s'étend sur le public comme un voile. Primo respire à fond, il est épuisé par la tension, il cherche son souffle.

OUT! gueule l'arbitre.

La salle explose. Primo voit les chapeaux en l'air, les applaudissements lui filent la chair de poule.

Des types entrent avec une civière sur le ring et emmènent Léon l'Horizontal dans son vestiaire.

Léon Sée passe par les cordes, il prend la main du géant et la lève en l'air. Enfin, jusque-là où sa

taille le lui permet... Il crie à l'intention du public
PRIMO CARNERA!

LÉON S. ET LÉON S.

Léon le malin n'a pas l'intention de se laisser
marcher sur les plates-bandes par un rigolo dont
le pif ressemble à un poivron rouge. Il était hors
de question que Primo perde ce soir. Quitte à
tailler une part dans son cachet. Disons que c'est
un investissement. Disons que sans cela, Primo
valsera dans le décor et sa carrière de boxeur
s'achèverait sur le tapis de la salle Wagram ce soir.

Léon le malin se lisse une dernière fois la moustache. Il veille à ce que personne ne le voit entrer
dans le vestiaire de Sebilo, seul en ce moment. Il
lace ses chaussures. Le malin lui tombe dessus, lui
dresse un portrait de son adversaire en tueur. Faut
dire qu'apprendre que le type de ce soir pèse quarante kilos de plus que vous, ça produit son effet.
Il lui fait remarquer que, s'il veut s'en tirer, il va
falloir frapper dur, frapper haut, et Sebilo se sent
fatigué. Demain, une dure journée l'attend. Sa
femme n'aime pas le voir rentrer salement amo-
ché, du sang sur le visage. Sa femme n'aime pas le

voir perdant. Et incapable d'aller au boulot le jour suivant. De perdre une partie du salaire. C'est sûr, s'il rentre ce soir — perdant, soit — avec tout juste une égratignure, une heure d'avance et le double de son cachet de vainqueur dans la poche, c'est une nuit d'amour qu'il gagnera au lieu de la traditionnelle poche de glace.

Les deux Léon se serrent la main. Marché conclu. Sebilo sent déjà qu'il ne pourra pas résister à son terrible adversaire au-delà du second round.

CHAPITRE 4

Populaire!

PRIMO CARNERA
DE SEQUALS, FRIOUL

La nuit de Noël, vigilia di Natale, je suis sur un bateau pour New York.

America... America...

Y a plus un sou d'après ce qu'on dit en America mais Léon, il me jure qu'ils ont caché des dollars dans leur culotte pour payer un boxeur comme moi. L'America!

Un gros mot qui fait rêver les boxeurs du monde entier, la clé qui ouvre la porte du Championnat du monde. Mais moi, ce soir, je me fous de tout cet or. Je suis seul sur le pont du bateau et le froid, il me colle des claques. J'ai mis une grosse écharpe en laine. Un épais chapeau noir. Un manteau qui descend jusque sur mes chevilles et qui vaut une fortune. Je regarde les étoiles et je pense à Mamma, à Papà, à Secondo et à Severino qui sont à table. Noël, c'est une fête de famille. Mais j'y suis pas. Je suis un guerrier qui est seul sur le chemin parce que, demain, c'est la battaglia.

Cette année, au moins, j'ai pas à me faire des soucis. J'ai envoyé à Mamma assez d'argent pour que ce Noël soit le plus beau de leur vie. Cette année, il y aura pas que du lard et de la polenta sur la table.

Comme j'aurais aimé être avec eux...

Je sais que Mamma, elle gardera une boule dans le ventre toute la soirée. Papà, il fera comme si parce qu'il veut pas être triste. Et il faut pas. L'America, ça peut nous garantir des années de nourriture qui rattraperont la misère de notre vie avant. Et je me battrai pour qu'on l'oublie, la parole misère...

Ce soir, le bateau est illuminé de la coque jusqu'à la cheminée. Tout le monde se régale, boit du champagne, les gens courent dans les couloirs et j'entends des rires. Je me demande même si quelqu'un conduit le bateau.

Mais il avance. Alors...

Mon repas de ce soir aurait coupé la faim à ma famille — et c'est pas rien de dire ça. Léon m'a dit que Noël, c'est de la dynamite pour le boxeur. Y a pas plus dangereux. Tu te rattraperas plus tard, Primo! Il m'a donné une tape sur l'épaule et il a continué de massacrer son entrecôte saignante. J'au-

rais — *Dieu me pardonne !* — *vendu ma mère pen-*
dant un quart de seconde pour avoir la même
assiette.

Alors je suis mieux sur le pont.

Je suis seul. Et j'essaye de comprendre ce que c'est,
l'America. Je tomberai peut-être au premier round
et je rentrerai en France illico presto. En troisième
classe, cette fois !

JANVIER 1930,
LÉON RACONTE LES PREMIERS PAS
DE PRIMO SUR LE SOL AMÉRICAIN

Si j'avais emmené un Français en Amérique,
l'accueil n'aurait pas été le même. C'est tout juste
s'il n'avait pas fallu conduire Primo à l'hôtel en
fourgon blindé. Du monde, des reporters, des
photographes nous ont mis le grappin dessus alors
que Primo n'avait pas encore posé un seul de ses
énormes panards sur le sol ricain. À l'hôtel, le
directeur en personne a tenu à nous accompagner
jusque dans la suite de Primo et à s'assurer que
notre logement nous convenait. Une bouteille de
champagne nous attendait dans un seau glacé et
un bouquet de fleurs si volumineux était posé sur

une table que, un instant, j'ai cru qu'on s'était gouré de piaule. Une princesse se mariait et le patron avait fait fausse route. Mais non. Ces salamalecs et la gerbe étaient pour nous. Un cadeau de la maison. Monsieur le dirlo voulait à présent sa photo avec Primo lui serrant la paluche. No Problem, mon gars! Carnera affiche son éternel sourire, celui qui remonte jusque derrière la nuque. Un as de la publicité, mon bonhomme.

Après ça, je me suis dit qu'on serait tranquilles, qu'on irait faire un saut au gymnase, histoire de tâter l'épaisseur des sacs. En toute intimité, quoi. Mais macache! J'ai cru que c'était la sortie de l'usine. Y avait un de ces mondes! Primo me demande : Léon, c'est quand même pas ce soir, le match? La communauté italienne de New York s'était déplacée pour faire les honneurs à son champion. Les mômes, les gonzesses, et tutti quanti! Pas de discrimination. Le pape serait venu baiser le sol du Bronx, ç'aurait été kif kif, il dérangeait pas plus de monde. Sinon moins.

J'ai demandé des explications à la salle. Le service de sécurité, ils avaient jamais connu ça. En tout cas, pas pour les entraînements. Alors on a fait avec. Primo s'est échauffé dans une salle archicomble. Il frappait dans un sac et le public applaudissait au rythme de ses coups, il sautait à la corde, les gens sifflaient, l'encourageaient, Primo se livrait à une séance de *shadow boxing*, c'était l'hystérie, le public imaginait le match, l'ombre de l'adversaire se révélait sous leurs yeux et ils hurlaient : *Dai, Primo dai ! Ammazzalo ! Bravo !*

Des fêlés, ces macaronis !

Primo, ça le gênait pas. On n'était pas en Italie mais c'était tout comme. Peut-être se sentait-il davantage proche de ces gens qui étaient, à son image, des immigrés. Des gens qui se raccrochent à ce qui sent le spaghetti et qui associent le vert, le blanc et le rouge. Du patriotisme de blessés. De mélancoliques.

J'étais touché par cette aventure d'autant que je ne m'y attendais pas. Je savais qu'un paquet de ritals se planquaient dans la ville et torchaient des mômes, mais de là à les voir tous rappliquer, drapeau de la patrie au vent, costards noirs et chemises blanches amidonnées, ça, j'avoue que je ne pouvais pas soupçonner un truc dans le genre. Primo, c'était le fils prodigue qui rentrait au pays. Et pas bredouille. Le type qui avait réussi à la seule force de ses poings — et de mon soutien, de mes astuces. Le bonhomme immense et doux, toujours prêt à la rigolade mais quand il s'agissait de frapper, de massacrer son adversaire, il se défilait pas. La communauté italienne se sentait valorisée, elle était fière d'être aux côtés de notre homme. Et Primo Carnera le leur rendait bien.

30 NOVEMBRE 1930,
DU SANG NEUF POUR L'ESPAGNE

Il est entré dans le stade vêtu de son plus beau peignoir, celui en velours rouge avec des motifs en losanges jaunes.

Il s'est dirigé vers le ring au centre de la pelouse en sautillant sur ses pieds pour ne rien perdre de ses muscles échauffés. Ses mains étaient compressées dans les gants trop étroits que lui avait imposés la fédération catalane. D'abord, il n'a pas voulu combattre.

Les organisateurs ont pris peur.

L'ont supplié.

Ils ont signé un papier reconnaissant leurs erreurs.

Dehors, quatre-vingt mille personnes s'impatientaient. La révolution avait gagné les esprits juste à son arrivée en Espagne. Et à cause des grèves, des manifestations houleuses, le combat avait été reporté de huit jours.

Primo était tendu.

Il ne releva pas la tête avant d'avoir rejoint le ring, et ce malgré les acclamations de la foule. Et son adversaire, torse nu, qui semblait pressé d'en finir. Paolino Uzcudun. Un Basque de trente-deux ans, ex-champion d'Europe, qui s'accrochait aux dernières branches de sa carrière. Et Primo brûlait d'arracher ce bois mort et de le jeter à la figure des organisateurs assis au premier rang.

Primo craignait pour ses mains.

Il était trop jeune pour se les fracturer.

Il lui restait du chemin à parcourir. Pas tomber maintenant.

Quatre-vingt mille personnes.

Il n'avait encore jamais vu autant de monde réuni pour lui.

Quatre-vingt mille personnes qui ne croient plus en leur héros finissant. Un homme du passé. De l'ancien temps. L'Espagne a besoin de sang neuf. D'un nouveau héros. L'Espagne qui est au bord de l'explosion. L'Espagne qui espère, qui croit en cet homme nouveau. Tous les regards convergent vers lui. Y compris ceux de l'Italie qui, jusqu'à présent, se sont moqués de ce grand imbécile.

Primo n'a pas peur, ce soir.

Il veut montrer au peuple espagnol que les anciens temps sont révolus. Et tous ces corrompus qui lui mettent des bâtons dans les roues, ils vont mordre la poussière avec leur champion de pacotille.

Léon n'avait pas arrangé ce combat.

Les deux boxeurs s'affrontèrent jusqu'à la limite des quinze rounds. Primo, malgré son handicap à cause des gants trop petits, domina nettement le match. Il fut déclaré vainqueur aux points. Comme à la fin des corridas, les bérets basques volèrent jusqu'aux pieds du colosse pour saluer son courage.

Le lendemain, dans la *Gazzetta dello Sport*, le journaliste Nino Cappelletti qui, le jour avant ce combat, exprimait ses doutes quant à une victoire de l'Italien, évoquait dans les colonnes du journal le *« triomphe de la Chemise noire Primo Carnera »*.

QUELQUES JOURS PLUS TARD
À ROME, PIAZZA DI VENEZIA

À la suite de sa victoire sur le Basque Paolino Uzcudun, la Fédération italienne de boxe proclama Primo Carnera Champion d'Italie.

Mussolini insista auprès de Léon Sée. Que Carnera vienne enfin à Rome. Le peuple italien, fier de son héros, brûlait de lui présenter sa reconnaissance sur la piazza di Venezia, au pied du Monument à la Patrie.

Mussolini, la figure un peu rouge, sortit de son bureau en même temps que sa Claretta Petacci. Il toussa avec force puis il vint serrer la main de Primo qui faisait le triple de la sienne.

Le Duce déballa son tapis rouge verbial.

« Primo, notre gloire nationale. Primo, notre symbole de masse, de puissance, l'exemple idéal de la grandeur fasciste. Un esprit sain dans un corps en parfaite santé. Vous êtes grand, vous êtes fort, vous êtes vigoureux et notre peuple vous attend derrière ces fenêtres et il s'étend à perte de vue. Tous les Italiens de Rome et d'ailleurs sont ici, présents, pour saluer votre courage, ils sont venus vous dire que vous êtes le héros d'une ère nouvelle. Tous ces gens meurent d'envie d'être comme vous. Vous êtes l'égal d'un saint. Ils vous vénèrent. Jamais l'empire fasciste — en dehors de **moi-même** — n'avait trouvé si juste illustration. Mais assez bavardé ! Ces hommes, ces femmes et ces enfants ont soif de vous voir, de vous entendre. Je vous explique en deux mots le protocole : j'apparais en premier au balcon du palais et je vous introduis auprès du peuple italien. Je rentre dans le palais et vous prenez ma place. Vous souriez et vous saluez en tendant bien haut le bras droit comme je vous le montre. »

C'est lui qui a voulu se montrer au balcon le premier. Pour m'annoncer, m'a-t-il dit. Surtout, pas être ensemble au balcon... Je le rejoindrai ensuite, quand on me fera signe. Alors j'ai attendu. J'entendais les gens crier. J'étais pas tranquille. J'ai remis mon chapeau et j'ai pensé à Mamma. Puis on est venu me chercher, on m'a dit que c'était à mon tour d'y aller et Mussolini était déjà plus là. J'étais tout seul devant une foule qui hurlait mon nom. J'ai eu le vertige. J'ai eu envie de vomir. J'étais pas tranquille mais j'étais heureux d'être là, d'être reconnu chez moi. Je cherchais Mussolini. Et je regardais les visages de tous ces Italiens. La place était si remplie qu'on voyait plus un morceau de trottoir, plus un pavé. Et c'est seulement après que j'ai su. Que c'était à cause de ma taille. Que ça faisait une différence trop importante. Faut pas être plus grand que le Duce. Que le ridicule, il supporte pas. Et moi, je voulais pas qu'il soit en colère. Et d'ailleurs, j'ai jamais voulu qu'on soit en colère à cause de moi...

29 JUIN 1933, GARDEN BOWL
DE NEW YORK

Ce fameux soir, Fiorello La Guardia, maire de New York, se rendit au Garden Bowl de la ville pour assister au Championnat du monde de boxe des poids lourds qui opposait l'Italien Primo Carnera à l'Américain Jack Sharkey, tenant du titre.

Parmi les quarante mille personnes présentes ce soir-là, Fiorello La Guardia se rangeait du côté de la bonne moitié d'Italiens ou d'Italo-Américains venus soutenir l'enfant du pays.

À l'entrée de la salle, c'était l'hystérie. Les billets des abords du ring, qui valaient quinze dollars, se revendaient jusqu'à quatre-vingt-dix. Mais Fiorello La Guardia, fier de sa position et de son smoking, se dirigea sans se préoccuper de cette agitation jusqu'à sa place au premier rang, aux côtés des anciens champions du monde Jack Dempsey et Gene Tunney.

Favori à six contre cinq dans les paris juste avant la rencontre, le maire italo-américain s'était même laissé aller à miser quelques billets verts sur Carnera. Pas tant pour ramasser de l'argent. Par superstition, plutôt. Une manière de soutenir l'imposant boxeur.

À deux pas du coin du géant, Fiorello La Guardia pouvait voir Bill Duffy, le célèbre manager coiffé d'une casquette blanche, et Luigi Soresi, l'entraîneur de Carnera, cravaté avec élégance.

L'équipe de l'Italien était souriante, blaguait même avec son poulain, lui balançait des tapes dans le dos. Un dos démesuré... L'équipe semblait à la fête. Sauf Carnera. L'homme était tendu. Sans doute concentré. Dans quelques minutes, le combat commencerait. Et il ne s'agissait pas là d'une simple exhibition mais du titre de Champion du monde des poids lourds, un titre qu'aucun Italien jusqu'à ce jour n'avait remporté.

Tout Little Italy s'était déplacé, un soutien généreux, impressionnant, et personne ne doutait un seul instant des chances de vaincre du colosse. Fiorello La Guardia y compris.

Les deux boxeurs quittèrent leurs coins respectifs et vinrent se serrer les poings au milieu du ring. Et quarante mille personnes, ce soir-là, n'eurent d'yeux que pour eux.

1ᴱᴿ ROUND

Hey, Jack! C'est pas ton jour, on dirait... Y a comme un os. Je suis plus le même qu'il y a deux ans, tu te souviens ? J'ai bossé dur depuis. J'ai toujours vingt centimètres de plus que toi, trente kilos de plus que toi mais aujourd'hui, je suis mieux entraîné. Je suis plus fort, Jack. Je suis rapide et mes coups, ils te font mal. Allez, Jack! Vieni qua! N'aie pas peur! T'as vu mon allonge ? Immense, Jack, immense... T'arrives pas à me toucher, on dirait. Goûte voir de mon jab du gauche. Plus dur que la première fois, non ? J'ai la patate, Jack! C'est du roc, ça! Tu croyais quand même pas que t'allais rentrer à casa avec ton titre, les mains dans les poches ? Tu vois, Jack, je suis pas venu de si loin pour t'applaudir. Ce soir, Jack, c'est moi qui porte la cintura. C'est moi qui lève les bras au ciel. C'est moi qui te fais une tête au carré. Regarde-moi ça! Je te frappe la tête, je te rentre ton nez, je t'empêche de respirer, Jack... Lève donc ta garde, amico mio! Ne t'accroche pas comme ça à mes épaules. Famme vedere ce qu'un champion a dans le ventre. Approche, Jack, viens que je te fasse mal. Tu tombes déjà ? Au premier round! Tu me déçois, amico mio... T'aurais pas dû t'entraîner avec ta sœur ou tes copains du bar... Bats-toi, Jack, bats-toi! Comme un homme. J'attends que ça, moi...

JACK, IL DIT :

J'ai été blessé par les commentaires de ceux qui croyaient que je m'étais couché devant Carnera. Qu'en savaient-ils, ces jobards ? Ils n'avaient jamais encaissé un coup de poing de leur vie. Un coup de poing de boxeur, j'entends... Carnera m'a cueilli avec une force inouïe. J'ai vu des étoiles, ma mère morte et le cheval de Washington. Je me souviens de ne m'être rappelé mon adresse que deux jours après. Et puis, truquer le combat n'aurait eu aucun sens. J'étais champion du monde et j'aimais ça, défendre mon titre me rapportait beaucoup d'argent, alors pourquoi aurais-je abandonné ce que j'avais de plus cher au monde ?

6ᴱ ROUND

Dai, Jack ! Faut que tu sois brave ! Guarda comme je suis léger, guarda comme je suis souple... Une ballerine ! Rien que pour tes beaux yeux, Jack. Je suis venu te faire danser, *amico mio*. *Gauche, droite, gauche!* Tu sais plus d'où ils viennent, les coups. Ouvre l'œil, *my friend*. On n'est qu'au sixième *round* et je sens déjà que tu perds l'équilibre. Je m'approche de la *cintura*, *Jack*. Tu vas rentrer sans rien à la maison. *Attenzione!* J'ai failli manger une gauche puis une droite... J'esquive... *Hey, Jack*, t'es pas fini. Tu réagis, ma parole! *Very good, Jack*, continue comme ça. Tu me fais *onore*. Je sue pour toi. Et c'est important. Tout le monde nous regarde, je te frappe, je tape sur le foie, les gens sont debout, *Jack*, ils ont payé pour nous voir, nous admirer. Nous sommes le spectacle. Nous devons les respecter. Et puis, beaucoup ont parié de l'argent. Ça nous regarde pas mais les familles de *Little Italy* rêvent de rentrer dans leurs frais, de rembourser le ticket et de nourrir les têtes autour de la table et même de s'offrir du vin. Regarde, *Jack*, même *Dempsey*, il est venu, même *Tunney*. *Jack*, je t'admire. Tu te bats comme un homme. Mais, ce soir, je suis le plus grand. Ce soir, je suis le plus fort. Tu as quelques années de plus que moi et, en boxe, ça compte. *Jack*, tu as fait ton temps. Tu m'as battu une première fois il y a deux ans. Depuis, j'ai beaucoup travaillé. Depuis, je me suis amélioré. J'ai droit à ma revanche. À mon titre de *Champion du monde*. Je l'ai promis. À ma famille, d'abord. À mon pays. Au *Duce*. *Jack*, ce soir, ce sera ma fête. Mais, maintenant, qu'on en finisse. Je vais pas t'humilier. Faire durer mon plaisir, durer ta souffrance. Te laisser mourir. Personne veut voir ça sur le ring. Personne. Je te pousse dans les cordes. Je frappe fort, fort, fort, mais tu te protèges mal, Jack. Je vois ton visage, je vois le menton et je tape très, très fort, je te déforme la mâchoire. Ton protège-dents valse, je le vois qui tombe sur le sol. Tu fermes les yeux, Jack, tu nous quittes ce soir, buona notte!

L'arbitre me fait signe de reculer. Je retiens mes poings au cas où. Tout le feu du combat, je le tiens dans ma main.

L'arbitre compte jusqu'à dix mais j'ai l'impression qu'il compte jusqu'à cent... C'est fini, Jack. Maintenant, tu peux dormir. C'est moi qui gagne ce soir.

LE SOMMEIL DU VAINCU

Interrogé à la sortie du Garden Bowl par un journaliste du *New York Times*, l'ancien champion du monde Jack Dempsey livra ses impressions sur le combat de ce soir.

« Je suis venu pour soutenir Primo. Nous nous sommes connus sur le tournage d'un film, il y a quelques mois. Un type courtois, d'une grande gentillesse. Il était rouge comme une tomate quand je lui ai serré la main la première fois. Entre deux prises, il m'a même avoué qu'il rêvait de devenir champion du monde. Alors, je me suis permis de lui filer un tuyau. Un tuyau qui aurait été d'un grand secours à Sharkey, ce soir... Je lui ai dit, Primo, il t'arrivera de prendre un coup de poing entre les deux yeux et tu te trouveras en face de trois boxeurs. Vise bien celui du milieu et frappe de toutes tes forces. Mais, vous avez vu, Primo n'a pas eu besoin de mon conseil, il a su se débrouiller seul, faire preuve d'une bonne technique. Nous avons un grand champion et c'est pas rien de le dire... Son uppercut a foudroyé Sharkey. Vous avez vu le temps qu'il a fallu pour le ranimer ? C'est à lui qu'il faut penser maintenant. C'est dur de perdre son titre de champion du monde. Du jour au lendemain, on n'est plus rien. Un boxeur parmi tant d'autres, une médaille rangée dans un tiroir. Un ex quelque chose. Souhaitons-lui une bonne nuit parce que le réveil sera difficile. Pour Primo aussi. Mais lui, ce sera à cause d'une gueule de bois. »

Jack Dempsey éclate de rire. Il sort un cigare de sa veste. Il porte une belle écharpe blanche par-dessus son smoking. La blonde qu'il tient par le bras sourit aux journalistes. Ils baissent tous les deux la tête en entrant dans une voiture qui les conduira à la fête.

CHAPITRE 5

Dure chute...

En 1956, le film *The Harder They Fall — Plus dure sera la chute*, en français — sort sur les écrans. Adapté d'un roman de Budd Schulberg, il est réalisé par Mark Robson avec Humphrey Bogart et Rod Steiger dans les rôles principaux.

L'histoire décrit le triste parcours d'un boxeur argentin manipulé par son entourage et les médias. S'il parvient à disputer un championnat du monde, l'homme perd son combat et la supercherie est finalement révélée.

Primo Carnera reconnaît dans ce film de flagrantes similitudes avec sa vie et son personnage. Il assigne les producteurs de la Columbia Picture devant les tribunaux et réclame 1 500 000 dollars d'intérêts pour atteinte à la vie privée et pour préjudice moral.

Je suis pas un crétin...

Faut pas me prendre pour plus bête que je suis.

Dans ce film, ils se moquent de moi. Ils se sont pas fatigués pour masquer les faits. Pire! Ils les grossissent.

Quand j'ai vu Rod Steiger apparaître sur l'écran... Pardon, je devrais dire TORO MORENO... TORO MORENO! PRIMO CARNERA! MORENO TORO! PRIMO! TORO! CARNERA! MORENO! Ils se sont pas creusé la cervelle pour lui trouver un nom à ce molosse! Non mais j'ai cru rêver... Cauchemarder! Toro Moreno est argentin, Monsieur le juge, pas italien. Tu parles, Charles! Un Argentin de plus de deux mètres qui entre en scène avec la même coupe de cheveux que la mienne quand j'ai disputé le championnat du monde contre Sharkey. Rasé au-dessus des oreilles. Plus de pattes! Une coupe aérodynamique. Ce que j'étais moche! Une idée de Luigi Soresi. Faire plus hargneux. Être à l'image de l'Italie du Duce. Un colosse. J'avais honte de ma tête. Et ces idiots, ils lui ont refait la même. Je me suis levé dans la salle de cinéma et j'ai hurlé : La même tête que moi! Y a jamais eu deux boxeurs sur cette terre avec cette coupe de cheveux. Mais Messieurs Dames... S'il n'y avait eu que la taille et la coupe de cheveux... Mais non! Ils ont pas oublié les pieds immenses. Pas moyen de lui trouver une paire de chaussures à ce fichu champion. Hasard, Monsieur le juge, hasard! Et puis, c'est qu'il crevait de faim, le pauvre type, quand on l'a trouvé dans sa baraque de foire, à se fatiguer les muscles comme lutteur. C'est sûr que tout le monde débute comme ça dans la boxe... Ça se sait! Tu cherches un champion, tu cours à la campagne et tu tombes sur Alphonse Ledudal qui t'en propose un. Pas de problème, Monsieur le juge! Alphonse, il a des champions du monde à la pelle, des poids lourds qui font plus de deux mètres et il a de la réserve. La Columbia Picture vous le garantit!

Ô Dio! J'ai voulu arracher mon fauteuil dans la salle et le balancer sur l'écran. Ce Toro Moreno, je te l'aurais massacré, moi, j'en aurais fait de la pâtée pour chiens. Ils en ont fait un débile profond. Son regard était débile, sa façon de combattre était débile, son allure quand il marchait était débile. J'ai été manipulé, d'accord. J'ai été un grand naïf et j'avais pas les yeux dans le dos pour voir ce qui se passait. Je faisais confiance à mon manager Léon. Je le considérais comme mon propre père. Mais je suis pas un crétin, je suis pas un imbécile. J'ai pas eu la chance d'aller à l'école longtemps. Mais je suis pas un crétin. Et là, dans ce film, c'est ce qu'ils ont voulu montrer. Ils se sont fichu de moi et ils se sont pas cachés pour le faire.

Des coïncidences, Monsieur le juge!

Des coïncidences ? Vous rigolez ?

1. La taille du boxeur 2. La coupe de cheveux 3. La naïveté — et encore, je reste poli 4. Les combats truqués à l'insu de Toro Moreno 5. Les pieds immenses 6. La faim obsessionnelle 7. La découverte dans la compagnie de lutteurs de foire mais, le pire, Monsieur le juge, le PIRE, *c'est l'affaire Ernie Schaaf ! Reprise telle quelle ! Juste le nom de changé, rien d'autre. Là, c'était trop ! La goutte du vase déborde à la fin ! Je suis carrément sorti de la salle en poussant des cris de colère. J'ai dû payer un deuxième ticket pour revoir cette horreur, pour revoir la fin où j'ai failli mourir d'une crise cardiaque...*

10 FÉVRIER 1933,
MADISON SQUARE GARDEN,
NEW YORK,
LE 13ᴱ ROUND D'ERNIE SCHAAF

« Des mois que j'ai mal au crâne.

De jour comme de nuit.

Un jab du gauche suivi d'une droite percutante du colosse et je me retrouve les lèvres collées au tapis. On me gueule de me relever. Je suis pas fini, les mecs... Ce rital de mes deux va souffrir.

Je serai jamais un grand champion, je veux dire, mais je veux qu'on se souvienne de moi comme d'un boxeur courageux. Un encaisseur qu'a pas eu les foies face aux plus grands. Jack Dempsey, Max Baer, Primo Carnera, et j'ai pas le temps, là, maintenant, d'énumérer la liste. Mon homme m'attend. Sa patate, je l'ai pas vue venir. Je me relève. L'arbitre au sommet du crâne qui brille cesse de compter. J'suis pas fini, les mecs... Carnera remonte sa garde et, pour la première fois depuis des mois, mon mal de tête est parti. *Grazie, Italiano!* On devrait se battre plus souvent, tous les deux... Ta fichue droite vaut mieux que n'importe quel médicament. Je sens plus mes pieds toucher terre. Je suis bien. Viens, mon ami! File-moi un autre coup, j'en ai marre de cette douleur atroce. *Come on, Primo!* C'est pas fini, là. J'ai pas tout donné. Faut que je rentre dans le combat. Que je terrasse cette montagne. Parce que, les mecs, j'suis pas fini. La nuit, avant de fermer les yeux, je me vois toujours les bras levés au ciel, une ceinture de diamants sur les hanches, et la foule qui hurle mon nom. Je regarde les lumières au-dessus du ring. Les diamants de ma ceinture. Je me remets en garde. Mes coudes se resserrent. Primo me tombe dessus. Une odeur de cuir me remonte jusqu'au cerveau. Le cuir d'un fauteuil confortable. Je vois plus le géant. Je sais qu'il frappe encore mais je suis dans le noir. Je suis bien, là. Je sens plus rien. Je veux pas rouvrir les yeux. Je suis mieux dans mon fauteuil. Avec Susie qui m'embrasse sur le front. Sur les pommettes. Pas sur les lèvres, elle sait que, après un combat, ça me fait mal. Ce soir, c'est moi qui l'embrasse sur les lèvres. Ce soir, la douleur n'existe plus. Je prends Susie dans mes bras et du fauteuil on tombe tous les deux. Dans l'herbe. On rit. On se roule dans l'herbe. On ferme les yeux, on est aveuglés par ce magnifique soleil d'août. »

Primo retient sa droite tout contre lui.

Prête à fuser.

Au cas où.

Mais Ernie a eu son compte. Son regard est étrange, flou, absent.

Ernie ne chute pas tout de suite. Il résiste, le bougre...

Ses genoux fléchissent.

Son cul s'abaisse comme s'il voulait s'asseoir dans un fauteuil.

Il relève les poings.

Il veut montrer quelque chose à son adversaire.

Sa position est grotesque sauf que personne ne rit dans la salle du Madison Square Garden.

L'exécution a lieu sous le regard du public ébahi.

La communauté italienne s'illumine de fierté. La performance de Carnera est digne d'un champion.

Enfin, Ernie Schaaf, comme un taureau saigné dans l'arène, s'écroule aux pieds du géant.

Cette nuit, c'est Goliath qui triomphe mais ce n'est pas une histoire pour les enfants.

Primo Carnera s'avoue vainqueur. Schaaf est out.

Il ne semble plus vouloir se réveiller.

Une civière le porte dans son vestiaire.

Il ne refait pas surface.

Bientôt, une ambulance le conduit à l'hôpital.

Les médecins ne parviennent pas à le ranimer.

C'est le coma.

Ernie Schaaf meurt trois jours après son combat.

L'autopsie du boxeur Ernie Schaaf révéla qu'il souffrait de graves lésions au cerveau, sans doute causées par un combat difficile mené contre Max Baer, quelque temps auparavant.

Une visite médicale en bonne et due forme aurait empêché Ernie de monter sur le ring et de s'effondrer aux pieds de Carnera. Mais peu de gens se préoccupaient de la santé du pauvre Schaaf.

L'entourage de Carnera — Luigi Soresi, le pro-
moteur Bill Duffy et Owney Madden — cacha au
futur champion les résultats conduits par l'autopsie. On lui fit croire qu'il était responsable de la
mort de son adversaire et, dans la presse, on pré-
sentait Primo Carnera comme étant le «géant à la
droite qui tue». Ce fut une excellente publicité
pour le championnat du monde prévu contre Jack
Sharkey, quatre mois plus tard.

Primo fut très affecté par ce drame et il songea
même à mettre un terme à sa carrière.

Je me suis battu contre une ombre.

J'ai vu dans son regard. J'ai senti que quelque
chose de grave était en train de se passer. Ernie est
tombé à terre très, très lentement, et ça, c'était pas
courant sur le ring. C'était la fin d'un homme. Je
l'ai vue venir. J'ai pas voulu le croire pendant un
moment. Ni pendant les trois jours de son coma. Je
refusais de croire que j'avais tué un homme. Tout ça,
c'était que du jeu. Personne meurt sur le ring, ce sont
des histoires, des vieilles légendes. Et pourtant... Au
bout de ces trois jours à attendre la mort, c'est moi
qui suis tombé. Et quand je tombe, ça fait beaucoup
de bruit...

Bogart et moi

J'ai vu Bogart dans le film et ça m'a tué.

Le dernier film de Bogart, peut-être, mais pour-quoi contre moi? Pourquoi m'humilier? J'ai rien demandé. Mon histoire, j'aurais pas refusé qu'on s'en serve pour faire un film. Je suis plutôt du genre content dans ces cas-là. Vous imaginez, Humphrey Bogart qui joue un rôle, qui participe à votre vie, entre dedans avec un costume magnifique... J'aurais pas fait mon snob. Sauf que, là, personne m'a demandé mon avis et on s'est servi de mon histoire. Tous mes amis, des gens que je connaissais pas, ils m'ont écrit pour me dire que le film et ma vie les ont touchés. Incroyable! M'écrire à la maison comme si j'y étais pour quelque chose. Et avec Bogart en plus! Je me suis arraché les cheveux, déjà que j'en avais plus des masses...

Les gens, donc, ont reconnu mon histoire mais ces salopards de scénaristes, ils ont rajouté un paquet de mensonges. Parce qu'il fallait sauver la morale, vous comprenez? Ces imbecilli, ils ont fait chuter Toro Moreno. Il ne gagne quand même pas le champion-nat du monde... Sauf que, bande de zozos, ma cin-tura avec les diamants, elle est accrochée au-dessus de ma cheminée! J'ai eu mon titre. Et je l'ai pas acheté. Jamais, Jack Sharkey, il aurait accepté de s'allonger, même si on lui avait offert le Bon Dieu, le diable et George Washington. Fallait être cinglé pour signer un contrat pareil. Cinglé et pas savoir écrire son nom !

Mais le pire, c'est qu'ils ont poussé la cruauté jusqu'à faire jouer le rôle de mon adversaire à Max Baer, l'homme qui m'a piqué mon titre de Champion du monde, l'homme qui m'a humilié en 1934, ça, c'était vache. Odieux. Et c'est surtout à cause de ce sale coup que j'ai porté plainte. Faut pas se moquer du monde ! Un Max Baer tout vieux, tutto grasso, je te l'aurais égorgé, cette fois-ci ! Et c'est pas dans cet état-là — on aurait dit un gros sac de moules — qu'il aurait pu me battre.

Et Bogart dans tout ça ?

Ben, nous y voilà !

Bogart, à la fin, il raccompagne le pauvre Moreno en taxi jusqu'au port de New York. Le boxeur a la gueule en sang, son manager l'a abandonné, les maffiosi qui géraient sa carrière l'ont aussi abandonné. Fichu à la porte, Toro Moreno ! Comme une vieille paire de chaussettes. Il rentre dans son pays sans un dollar. Sauf que, Messieurs Dames, le journaliste au geste héroïque et qui a la conscience blessée, il tire de sa poche une liasse de billets que j'ai jamais vue et il la donne au boxeur.

C'est ça, Hollywood, vous voyez ? On repart pas sans rien. Les méchants, ils existent pas. Parce que *même les méchants finissent par devenir bons, à Hollywood... Et moi, il m'a fallu au moins six mois pour que je vomisse plus mon repas si quelqu'un prononçait devant moi le nom de Bogart.*

Terrible!

43 dollars dans la poche.

J'ai recompté un tas de fois. C'était toujours le même chiffre. Les billets se moltiplicaient pas dans ma poche. La Madonna, elle avait perdu ses pouvoirs, elle pouvait plus rien pour moi. 43 dollars, c'est avec ça que je suis rentré in Italia.

Sur le bateau, j'ai pas voyagé en première classe, pas en seconde, pas en troisième. Sur le pont, j'ai dormi... À la belle étoile.

Les gens, ils me reconnaissaient mais ils se disaient que ce pauvre type, là, caché dans ses vêtements, abandonné au vent, au froid, ça pouvait pas être Primo Carnera, le champion du monde. Et pourtant...

Primo Carnera perdit son procès.

Pour ceux qui connaissent un peu la vie du boxeur, cela ne fait aucun doute, TOTO MORENO est PRIMO CARNERA.

Tous les ouvrages sur la boxe qui citent ce film précisent qu'il s'inspire de *« la triste histoire de Primo Carnera, boxeur manipulé, adoré puis délaissé »*.

On n'abat pas Humphrey Bogart d'un claquement de doigts...

CHAPITRE 6

Le cinoche de Carnera

Primo Carnera et John Wayne avaient l'habitude de se retrouver au moins une fois par mois à l'Acapulco et de se raconter *vita, morte e miracoli*, comme disent les Italiens.

John Wayne, quand il ne tournait pas un film, se rendait souvent au Primo Carnera's Liquor Store que tenait l'ancien champion du monde avec sa femme Pina, à Glendale, à deux pas de la ville des anges. John Wayne était un très bon client, il ne buvait qu'une certaine marque de whisky que Primo faisait venir d'Écosse.

Au magasin de vins, spiritueux et huiles d'olive, ils prenaient le temps de discuter, de boire un café. John Wayne demandait à Pina des nouvelles des enfants. Des hommes polis, en somme. Devant une dame, il faut savoir se tenir.

À l'Acapulco, c'était différent, les amis se lâchaient, ils fumaient cigarette sur cigarette et personne ne les regardait de travers parce qu'ils commandaient une autre bouteille. Enfin, ils bavardaient comme deux pipelettes qui ne se seraient pas vues depuis dix ans.

Les rendez-vous à l'Acapulco étaient une idée de John Wayne. Il savait qu'il pouvait s'y rendre n'importe quand et qu'on lui fichait la paix. Gino, le patron, n'aurait pas permis qu'on aille déranger Monsieur Wayne, qu'on aille mendier un autographe — ce que Primo regrettait toujours un peu...

PRIMO CARNERA
ET SON AMI JOHN WAYNE

— Une fois, j'ai joué le rôle d'un indigène avec une peau de bête, le corps barbouillé de cirage marron et un os dans le nez. C'était avec le célèbre Totò. Tu crois, John, qu'un jour, je pourrais être un sioux dans un de tes films?

— Qu'est-ce que t'en as à foutre d'être un

stupide indien ? Tu seras un Cowboy. Un héros de la gâchette à mes côtés. Maintenant qu'on me file que des rôles de shérifs... j'ai besoin de compagnons pour que la loi règne en ville. C'est simple, à la fin de chaque tournage, je ne rends même plus mon étoile aux costumiers, je la garde chez moi jusqu'au film suivant.

— Et moi, je pourrais aussi porter une étoile ?

— Si t'es un représentant de l'ordre, ouais. La seule différence, c'est que la mienne doit briller plus. T'es John Wayne ou t'es pas John Wayne. C'est arithmétique, mon gars. Et pour en arriver là, y a du boulot. Des heures passées sur un cheval à faire croire au spectateur que t'es né sur une selle en cuir.

— Et on me laissera monter à cheval ?

— Là, je peux pas te répondre. T'as vu ta carrure ? Tu ferais passer le pur-sang le plus costaud d'Hollywood pour un poney.

— C'est vrai... Et puis, c'est le bordel à cause de mon procès contre la Columbia, j'ai grillé mes chances de jouer à Hollywood.

— Ton boulot, Primo, c'était la boxe. Faire l'acteur, ça t'a rempli les poches, tu as pu nourrir ta famille. Tu as été Champion du monde, tu vas pas râler parce que t'es pas Clark Gable.

— Mais j'aurais préféré... Et ça m'aurait moins usé.

— Tu peux pas dire ça. Boire du whisky — en professionnel, j'entends —, c'est aussi du sport. Faut être endurant, tenir sur la distance, rester concentré, vigilant. Et, à la fin, t'es plus usé que deux champions de boxe réunis.

— Clark Gable, il buvait ?

— D'où tu sors, mon gars ? Tu as vu ses yeux brillants, son regard de ténébreux dans *Autant en emporte le vent* ? Tu crois que c'est en ingurgitant des milk-shakes qu'il a pu avoir cette tronche ? T'es trop naïf, Primo...

— Je sais... Même ma femme me le dit...

GINA CARNERA
SE SOUVIENT DE SON PÈRE ACTEUR

« Quand nous étions gamins, mon frère Umberto et moi, nous regardions souvent *La Corona di Ferro*. Un minestrone made in Cinecittà qui mélangeait la fable médiévale, le péplum et Tarzan de la jungle.

Papa jouait le rôle d'un homme simplet au service d'une méchante femme.

D'abord, nous ne l'avions pas reconnu. Ensuite, quand il nous a expliqué son personnage, nous étions fiers de voir notre papa à l'écran, dans un film fait à l'époque avec de gros moyens. Mussolini était alors au pouvoir et il adorait le cinéma, il se montrait généreux avec les producteurs. Le film baigne dans un univers féerique, façon *Magicien d'Oz*.

Aujourd'hui, avec le recul, je ne trouve pas le film mauvais. Loin de là! Les exagérations sont drôles. Papa, à cette époque, acceptait tout ce qu'on lui proposait. J'aurais préféré le voir jouer le rôle principal et pas ce personnage stupide. On ne l'a jamais aidé à devenir un acteur. Peut-être qu'il était définitivement mauvais... Je ne sais pas. Maman riait souvent quand ils allaient voir le résultat de ses tournages sur grand écran. Elle se moquait de lui à la maison, ça l'énervait à un point...

Moi et mon frère, nous ne comprenions pas bien. Papa faisait du cinéma et, à l'école, nos chevilles enflaient, tous nos copains rêvaient de rencontrer notre père. De lui serrer la main. D'être pris en photo avec lui.

Nous avions conscience d'être les enfants de quelqu'un de populaire et lui, manifestement, était ravi de voir qu'on était fiers de lui.»

Primo Carnera de Sequals, Frioul

J'ai pas eu ma chance au cinéma.

J'ai d'abord cru qu'en disant Amen à tous les films qu'on me proposait, ça finirait par apporter ses fruits. J'ai cru que derrière le masque de Frankenstein, derrière Hercule, derrière l'idiot de La Corona di Ferro, *derrière l'indigène, un réalisateur irait creuser, faire couler le fond de teint et trouver un acteur. Un vrai grand bonhomme capable de jouer la comédie. Mais c'est dans la vie que j'ai le plus composé. Les films, je les voyais avec des yeux de bambino et je les ai joués avec l'excitation d'un bambino.*

Nulle part, je voyais le mal.

Nulle part, je voyais le ridicule. Je voyais juste le résultat : du cinéma, des lumières et des gens plein la salle.

Mon copain John Wayne, il voulait qu'on fasse un western ensemble. Mais Bogart et sa clique, ils ont verrouillé les portes à Hollywood. À double tour. Fallait plus compter dessus. Alors, j'ai tourné un peu en Italie avec des acteurs qui parlaient la même langue que moi, avec ma famille qui n'était jamais loin.

J'ai pas tourné avec Rossellini, Visconti, Fellini. Eux, ils voulaient pas de moi. De mes mains de géant et de mon grand sourire. De mes pieds qui gênent, de ma voix cassée et de mon italien qui braille, qu'a pas les bonnes manières, qu'a pas eu le temps de se finir à l'école.

Mes films, j'en ai pas honte... Mes enfants les adorent et ma femme en profite pour se moquer de moi. On sait tous autour de la table que si, de la polenta, il en reste toujours dans la casserole, c'est grâce au cinéma.

J'ai jamais voulu être un grand acteur. J'aurais juste aimé qu'on me prenne moins pour l'homme de la foire. Ou qu'on me prenne pour un boxeur. Et tout ça mélangé avec le temps, ça a donné une drôle de sauce. On sait plus qui est qui et qui fait quoi.

Mais je peux dire que Primo Carnera, c'est moi. C'est tout ça. Le pire que je voulais pas. Le meilleur que les gens oublient vite. C'est comme ça, c'est tout et c'est déjà pas mal...

II

LE COLOSSE D'ARGILE

« En boxe, la condamnation à la défaite est implacable, nul n'y échappe, et le soir même de votre plus grand triomphe annonce celui de votre déclin. »

LOUIS LÉON-MARTIN

CHAPITRE 1
Le pantin de Mussolini

> *« Écrit sur le casque d'un motocycliste :*
> *Duce, je suis fou mais fidèle. »*
>
> ENNIO FLAIANO

29 JUIN 1933, EN DIRECT
DU GARDEN BOWL
DE LONG ISLAND, NEW YORK,
LA VOIX DU SPEAKER

... Incroyable, chers auditeurs! Primo Carnera est Champion de monde!

Les poings levés, le colosse a retrouvé son sourire de gamin après cette dure épreuve. Dans la salle, vous l'entendez, c'est un triomphe et les applaudissements pour le bel Italien sont unanimes. Inutile de vous dire que les policiers chargés de la sécurité du Garden Bowl ne parviennent pas à empêcher de monter sur le ring des membres de la communauté italienne venus en nombre ce soir. Par on ne sait quel effort, ils soulèvent le champion qui ne contient plus ses larmes et ils lui font faire le tour du ring. Il sera difficile de nous glisser jusqu'à lui et de lui demander quelles sont ses premières impressions.

Je le rappelle, Primo Carnera — la montagne de fer — est ce soir Champion du monde de boxe dans la catégorie des poids lourds. Il a littéralement terrassé le champion en titre, Jack Sharkey, par K.-O. à la sixième reprise. Il est le premier Italien dans l'histoire de ce sport à remporter ce titre. Ce soir, Primo Carnera est l'égal de James J. Corbett, de Jack Dempsey ou de Gene Tunney.

Enfin, il m'est possible d'approcher notre géant. Ses pieds ne touchent plus la terre ferme. Pris dans un essaim d'hommes qui hurlent, le roi est au sommet de sa gloire. Je suis à deux pas de lui. Je le rejoins et je le félicite au nom de toute l'Italie parce qu'il a mené ce soir un combat extraordinaire. Primo Carnera est avec nous, chers auditeurs, il tremble d'émotion, nous le comprenons à peine...

Le lendemain, on put lire dans le journal la déclaration du nouveau Champion du monde.

« Par l'intermédiaire du *Corriere della Sera*, j'offre cette victoire au monde sportif italien et je suis fier d'avoir tenu ma promesse faite au Duce. »

La réponse de Benito Mussolini ne tarda pas.

Dans un télégramme que Primo lut quelques heures plus tard, le Duce déclarait ceci :

« J'exprime mes plus vives félicitations à Carnera et qu'il sache que toute l'Italie fasciste et sportive est fière qu'une Chemise noire soit championne du monde de boxe. »

Sur la prime de dix mille dollars versée au vainqueur du Championnat, Primo Carnera ne perçut que deux cents billets verts. Le reste, c'était pour la cause...

JUILLET 1933, DANS LES BRAS
DE LA MÈRE PATRIE, NAPLES

Carnera est Champion du monde.

Sa ceinture dans la valise, il attend de la voir briller sous le soleil de l'Italie. L'Amérique ne lui suffit pas. L'Amérique, à côté de son pays, ne représente que des queues de cerises, de la polenta sans la viande en sauce.

Après tout ce temps passé en France puis sur la route tracée par ses gants, Primo Carnera veut maintenant rester en Italie. Il veut montrer qu'il n'est pas un émigré comme tant d'autres, il veut prouver qu'il est avant tout italien et que, s'il est parti un moment, c'est pour mieux rentrer au pays. Il veut revoir le sourire de son père, il veut sentir les larmes de sa mère contre ses joues. Il veut dire non, je ne vous ai pas oubliés, non, je n'ai jamais eu l'intention de vous quitter, de vous trahir.

Aujourd'hui, le monde entier connaît son nom. Il n'est plus un crève-la-faim. Il est l'homme le plus fort du monde. Même le Duce le tient pour un héros. Le symbole de force et de puissance de cette Italie nouvelle. De cet empire qui s'étend jusqu'en Afrique.

Mussolini attend Carnera à Rome.

Il a dit qu'il voulait toucher la ceinture du Champion du monde. Il veut serrer la main du David de la cause fasciste.

Et Primo ne déçoit pas le Duce. Ce dernier vient d'apprendre les règles pour comprendre un combat de boxe. À Primo, on a expliqué quelles étaient les nouvelles règles de son pays fier et renaissant.

Très vite, les journalistes, les officiels du régime fasciste, les associations de jeunesse — les Balilla et les Avanguardisti — et les Napolitains se pressent autour de la passerelle du bateau.

L'homme nouveau, le héros de la nation se tient droit du haut de son bateau. Immense et glorieux. En costume noir à rayures. Un costume américain. Avec une chemise noire. Il tend le bras au-dessus de sa tête, il salue la foule comme il est de bon ton de faire en cette époque glorieuse.

Primo Carnera de Sequals, Frioul

Si j'avais su.
Si j'avais compris à ce moment-là.
Jamais je me serais mêlé de ça.
Je vivais pas dans mon pays. Mes parents me disaient rien sur la situation politique — ils savaient même pas écrire.
Moi, je m'occupais de rien. Je m'occupais de me défendre sur les rings et c'était déjà bien. L'Amérique me tendait les bras, je travaillais à cette époque beaucoup plus qu'Errol Flynn.
J'avais quitté mon pays presque mort de faim. Je pensais que même mes parents finiraient par m'ou-

blier. Et voilà que, le Duce, il m'appelle lui-même,
il me flatte, il me dit que je suis un héros en Italie.
Il me raconte que mon manager français me trompe,
qu'il me vole mon argent. Lui me promet la gloire
et une équipe de professionnels capables de m'emmener au Championnat du monde.

Après toutes ces années de souffrances, je vois que,
malgré les magouilles de Léon, je suis un boxeur costaud, solide, que je peux être champion du monde.
Je me fichais de la politique et de tout le tralala
autour. Si quarante-cinq millions d'imbecili accla-
maient Mussolini, quarante-cinq millions plus un,
ça faisait pas de différence. J'avais qu'à saluer comme
eux. M'habiller comme eux. Gonfler la poitrine.
Marcher comme les militari alors que j'avais même
pas fait mon service. Réformé à cause de mes pieds
plats.

Et puis, je savais que mes parents, mes frères, ils
étaient pressés de me revoir. Que, pour la première
fois de notre vie, on allait se retrouver autour d'une
table, manger ensemble à notre faim et boire du vin.

Des années plus tôt, j'aurais donné une main pour
ça.

Si j'avais su...

Si j'avais su que toutes ces histoires me retombe-
raient sur la tête à la fin de la guerre...

J'ai jamais été un fascista. Pas plus que n'importe
quel autre Italien.

Quand je suis rentré dans mon pays, j'ai mis du maquillage. J'ai imité les gestes. J'ai été le pantin du Duce parce que je croyais bien faire, parce que c'est ce qu'on attendait de moi.

ON NE CHANGE PAS
UNE ÉQUIPE QUI GAGNE

Benito Mussolini veilla lui-même à ce que son nouveau poulain soit entouré d'une équipe de choc.

Désormais, le manager de Primo Carnera sera Luigi Soresi. Peu compétent en matière de boxe, Soresi était directeur d'une agence d'une Banque d'Amérique et d'Italie et, lorsqu'il s'agissait de dégoter de l'argent, on pouvait lui faire confiance.

Quand Soresi serra la main du Duce, bien que rien ne fût écrit noir sur blanc, il avait gravé dans sa paume les termes du contrat : mener Primo Carnera au Championnat du monde et faire briller la ceinture du futur vainqueur au balcon du Palazzo Venezia, sinon...

En réalité, le véritable manager de Primo était Bill Duffy auquel s'était associé Léon Sée en arrivant sur le sol américain. Sans son appui et ses ficelles qui passaient jusque sous le ring, il aurait été impensable de faire combattre un rital aux États-Unis. La loi était la loi. Mussolini ou pas, sans le big Bill, il n'y avait pas de champion qui tienne.

Luigi Soresi jugea bon d'associer à cette entreprise un troisième personnage : Owney Madden.

Si, à l'époque de la prohibition, l'envie vous venait, malgré les interdictions, de vous jeter une bière fraîche dans le gosier, c'était à lui qu'on passait commande. Quant à la propreté de ses mains sur votre verre, valait mieux ne pas regarder de trop près. Accusé de plusieurs meurtres, Owney Madden pouvait se vanter d'avoir été un pensionnaire de la fameuse prison Sing-Sing.

Enfin, pour entraîner avec la plus grande rigueur notre futur champion, l'équipe choisit un expert, le poids plume Billy Defoe, lui-même ancien tenant d'un titre mondial.

Ainsi paré, Primo Carnera pouvait songer à se promener dans les rues avec sa ceinture de champion et le milieu de la boxe n'avait qu'à bien se tenir.

LÉON, T'ES MORT !

À l'automne 1934, les éditions Gallimard publient en France *Le Mystère Carnera* écrit par Léon Sée. L'ex-manager de Primo révèle les dessous de la carrière du géant et comment l'*Idée* — c'est ainsi qu'il définit son *concept* — lui est venue de créer un champion de toutes pièces.

L'intention du livre, dès les premières phrases, ne fait aucun mystère :

« *Je vais tout dévoiler.*

Je vais raconter l'incroyable aventure, une histoire sans précédent dans les annales de la boxe. »

Bien sûr, Mussolini s'oppose à ce que le livre soit traduit en Italie. Aucun journal n'a le droit de suggérer son existence. Quant au principal intéressé, les révélations de celui qu'il considérait comme un second père le blessent au plus profond.

Ça m'a fait l'effet d'un coup de couteau qu'on m'aurait planté dans le dos.

Découvrir les magouilles de Léon m'avait déjà blessé et je pensais en le quittant que c'en serait fini de toute cette histoire.

Quand j'ai accepté la proposition du Duce, Léon m'a pas laissé partir juste en me serrant la main. Il a négocié avec Bill Duffy, mon manager aux États-Unis, 50 000 dollars pour lâcher mon contrat. Dans le livre, il dit qu'il était convaincu que je gagnerais un jour le titre de Champion du monde. Mais ça, je le crois pas. Sinon, il m'aurait jamais laissé en Amérique. Sauf que, ciccio, je l'ai eu mon titre, et pas grâce à toi! Aujourd'hui, j'imagine ta colère le soir du 29 juin 1933... T'as dû tomber K.-O. en même temps que Sharkey.

Mais t'étais pas sonné bien longtemps. Tu t'es vite relevé pour vomir toute ta haine dans ce fichu livre.

Tu pensais que j'ai jamais été intelligente et pourtant, je l'ai lu ton témoignage. Et je l'ai relu. J'ai failli crever à force d'avaler de travers. Tes mensonges, ils coulent du début à la fin et tu craches dans la soupe du milieu de la boxe. Tu te vends comme una puttana, tu dis avoir consacré ta vie à ce sport, une passion. En vrai, tu te fous des bonshommes que t'as balancés sur les rings, tu te fous des coups, des blessures.

T'as jamais pu être un grand boxeur et tu crèves de gelosia devant mon succès et tu te venges en ramassant du pognon sur mon dos. Tu peux raconter toutes les saloperies que tu veux, personne te croit dans le milieu parce que tout le monde savait — sauf moi, che cretino! Moi qui étais prêt à sacrifier ma vie entre les cordes pour toi.

Aujourd'hui, je suis devenu un athlète et mon titre de Champion du monde, je l'ai gagné avec mes poings, ma force et sans toi. Sans toi, Léon! Musso-

lini, il a vu que j'étais capable d'être un champion, il a vu en moi le héros. Toute l'Italie m'adore.

J'aimerais que tu t'étouffes avec ta colère et je crache sur ton livre, je marche dessus avec mes pieds immenses et tout le fric que tu récoltes, je te jure, mon vieux, tu l'emporteras pas au paradis.

Je te maudis, Léon! Pour moi, t'es un homme mort et je te dis va au diable!

JUILLET 1933, LUIGI SORESI ENTEND LA VOIX DU MAÎTRE

« Je me fiche de savoir par quel moyen mais je veux que Carnera défende son titre de Champion du monde à Rome.

Je me fiche qu'il soit sous contrat avec le Madison Square Garden, je me fiche de savoir qu'il ne peut pas venir combattre ici. Les Américains l'ont assez vu faire le mariole chez eux. Carnera est avant tout italien et je le veux à Rome, je veux qu'il défile sur la via dei Fori Imperiali, je le veux sur un char tiré par des nègres. Son peuple fier et glorieux rêve de le voir se battre torse nu sur sa terre. Et moi en premier.

Je l'ai promis à mes enfants. Je vous paye suffisamment cher pour que vous ayez les moyens de satisfaire notre régime.

Enfin, je veux un adversaire crédible, reconnu dans le monde de la boxe mais pas trop coriace. Il est hors de question, vous entendez, Soresi ? hors de question que notre héros perde son titre en Italie. Je ne veux pas être la risée du monde entier. Débrouillez-vous avec les Américains mais qu'il vienne. Moi, je m'occupe d'organiser l'événement. Je choisirai un lieu symbolique dans le centre de Rome. Quant à la bourse de Carnera — vu qu'il vaincra —, qu'il la reverse intégralement à la cause fasciste. Si vous voulez, je peux lui trouver une médaille.

Dieu sait que nous avons besoin des efforts de chacun pour paraître un peuple uni et fidèle à ses principes. Pour mieux briller et que le monde envie notre or. »

PIAZZA DI SIENA

Il fallait un lieu sensationnel, un lieu digne d'accueillir celui que la terre entière connaissait sous le nom de Primo Carnera.

Mussolini choisit d'organiser le combat dans

les jardins de la Villa Borghese, sur la Piazza di Siena entourée de pins parasols. Située à quelques centaines de mètres de la Piazza del Popolo, on pouvait y rassembler jusqu'à soixante mille personnes.

Ainsi, le 22 octobre 1933, Primo Carnera rencontra pour la seconde fois de sa carrière le Basque Paolino Uzcudun.

Primo ne vit pas l'ombre d'une lire passer dans ses mains. Soresi lui avait conseillé de verser le montant de ses gains dans les caisses du régime qui en aurait bientôt besoin pour conquérir le monde. Primo ne savait pas dire non.

22 OCTOBRE 1933,
PÉPLUM SUR LA PIAZZA DI SIENA

Primo Carnera
idéologiquement correct

le vent d'octobre souffle sur le ring
quelques chapeaux
dans la foule
s'envolent

soixante mille personnes
plus Primo

plus le Basque Uzcudun
tendent le bras
              droit
le Duce accepte l'Ave
le Duce
orgueilleux
gonfle la poitrine
soixante mille bras tendus
ça impressionne
et des millions d'autres bras qui s'élèvent
au-dessus des postes radio

le Duce
d'un signe de tête
déclare que le combat commence

le vent d'octobre souffle
sur le corps
              colossal de Primo
Uzcudun a perdu à Barcelone une première fois
Uzcudun doit perdre à Rome
les muscles tendus
les cheveux gominés
Primo s'élance sur le Basque
et chacun, par ses coups,
fait trembler la foule
                 la foule qui exulte
                 ne se contrôle plus

fini le salut fasciste du
Partito Nazionale Fascista
Ou, si vous préférez,
Per Necessità Familiale
maintenant
la foule tend les deux bras
on applaudit à tout rompre
on guette le genou
du Basque
     à terre
on guette
la mort sur le ring
le peuple veut que le sang coule
le peuple veut le corps du boxeur

Primo Carnera
glorieux
brille
Uzcudun ne porte pas ses coups
Uzcudun encaisse
premier round
deuxième round
troisième round

les enfants du Duce
Bruno
Vittorio   à la droite du père

Romano
tremblent
ils craignent que les boxeurs n'aillent jusqu'au
                                        bout
ils craignent qu'il n'y ait mort d'homme
Papa a acheté les billets
figurez-vous
Papa ne veut pas les voir tourner de l'œil
il attend d'eux
qu'ils soient des hommes
qu'à leur tour
ils se sacrifient pour la patrie
                        l'Empire
n'oubliez pas
1933
l'an XII de l'Ère fasciste

quatrième round
cinquième round
sixième round

dur à cuire, le Basque
suffit pas de souffler pour qu'il tombe
la foule fixe son regard sur Primo
l'implore
de le massacrer
merde !
c'est qui le champion dans l'histoire ?
se dit Mussolini

qui n'a jamais vu de combat
de boxe
de sa vie

Carnera brille
Carnera ne manque pas de souffle
ses cheveux
lourds de sueur
ne sont plus comme avant

septième round
huitième round
neuvième round

la peau de Paolino
est marquée de rougeurs
les coups de Primo sont durs comme la pierre
son nez saigne
un peu
le Duce a prévenu son équipe
pas de jet d'éponge
pas d'abandon
ou il se bat
ou il mord la poussière

de toute façon
Paolino n'a pas l'intention de se laisser battre
Paolino se sent devenir vieux
mais il n'a pas dit le mot de la fin

Carnera se bat comme un fauve
il cherche l'ouverture
il veut glisser son poing
qu'il s'immisce
atteigne sa cible
cueille sa proie
au menton
la soulever du sol
et l'envoyer dans les cordes
lui barrer les côtes
lui ôter le souffle
juste
le temps de compter jusqu'à dix

dixième round
onzième round
douzième round

les doigts du Duce
tapotent sur les genoux
ce colosse joue avec ses nerfs
s'il perd
ce n'est pas grave
il l'enverra faire un stage
                    en Éthiopie

Paolino vacille
ses yeux sont pochés

dans sa bouche
le goût du sang
bientôt
ses paupières ne laisseront passer qu'un rai de
lumière

peut-être
que Primo est trop nerveux
la tension créée autour de l'événement
champion du monde
c'est jamais acquis une fois pour toutes
sans cesse
refaire ses lacets
s'entraîner dur
crever de faim
remettre les gants
et à la guerre comme à la guerre tout recommencer de zéro
Primo se dit
que cette fois
est la dernière

treizième round
quatorzième round
et quinzième round

le Basque est debout
abîmé

à moitié mort mais debout
il ne voit plus son adversaire
il ne voit plus le Duce
il s'en fout
il veut partir maintenant

le champion a gagné son combat
seul le résultat compte
le Duce
sué d'angoisse
se lève et fait honneur au héros
César
n'est pas emmerdé sur son terrain

la foule
porte Carnera en triomphe
champion du monde il est
champion du monde il demeure

déjà
il oublie la faim
il oublie les souffrances
endurées
jusqu'à ce jour
déjà
il oublie sa promesse
de ne plus remonter sur le ring

Primo
salue l'empereur
ses yeux cherchent ses parents, ses frères
parce qu'il n'y a qu'eux qui comptent
en cet instant.

PAOLINO UZCUDUN, PAS FOUTU..

« J'suis pas foutu...

Je serais peut-être jamais champion du monde
mais je vais lui filer des gnons et il verra si ce sera
facile de me couler. Espèce de montagne de gor-
gonzola de mes deux...

Il m'a battu la première fois à Barcelone. Il était
un jeune lion. Je l'ai beaucoup admiré. La Fédération catalane lui avait imposé des gants trop
petits. Il a morflé pendant le combat, il l'a pas
montré. Il ne se laissait pas toucher. Il en voulait,
le bougre... J'ai senti que, dans le bonhomme, il
y avait de la graine de champion. La différence,
c'est que, à cette époque, il n'était pas entouré de
cette armada de crétins.

Aujourd'hui, ces abrutis m'ont offert une
bourse et un séjour à Rome logé dans un hôtel
magnifique à Trinità dei Monti. Ils pensent que

je vais m'allonger au premier bobo. Peut-être que ça va se passer comme ça... Ce type a sonné Sharkey il y a quatre mois à peine. C'était pas un coup de bol, je vous le dis...

Aujourd'hui, je vais me donner à fond. Je vais plus combattre des masses. J'ai fait mon temps et une occasion de devenir champion, je laisse pas passer. Bon... les illusions, c'est plus de mon âge mais je vais lui faire mal. Je freinerai les coups. Que Mussolini se fasse du mauvais sang. Qu'il voie son héros national en difficulté. Qu'il sue un peu lui aussi. Après ça, ce péquenot bombera moins son torse. Et, de ça, je me réjouis...

Je suis pas un boxeur à qui on dit couche-toi là. Et surtout pas pour des gais lurons en uniforme qui se croient supérieurs aux autres. Le champion sera sans doute plus brave. Mais de peu.

Aujourd'hui, je suis un homme en colère.

La bouffonnerie, j'en soupe dans mon pays, j'en soupe en Italie. Vous allez voir de quel bois je me chauffe. Et toi, le rital de mes deux, t'as qu'à bien te tenir... »

CHAPITRE 2
Max, le clown

Le règne de Carnera finit le 14 juin 1934 au Long Island Bowl de New York devant soixante mille spectateurs.

Carnera abandonna sa ceinture, il la tendit le cœur lourd à l'Américain Max Baer, le *Rosseur de Livermore*, le beau gosse d'Hollywood, l'homme à l'étoile de David cousue sur son short.

À la suite d'une chute dès le premier round, Primo se brisa la cheville en même temps que ses espoirs de vaincre son adversaire. Primo toucha le sol onze fois en tout. Onze fois jusqu'à ce que l'arbitre, Arthur Donovan, ne décidât de mettre un terme à la boucherie.

Primo Carnera Champion du monde de boxe entendit sonner le glas, il lui fallait désormais tout reprendre de zéro.

PETIT-DÉJEUNER CHEZ MIRNA

Mirna Loy est connue pour avoir interprété plusieurs petits rôles dans les films de Cecil B. De Mille, dont *Les Dix Commandements*. Enfin, c'est dans *Le Voleur de Bagdad* qu'elle resplendit grâce à son physique d'Orientale et ses talents de danseuse.

Elle jouera le rôle principal dans *The Prizefighter and the Lady* en 1933 avec Primo Carnera et Max Baer comme partenaires.

Sur le tournage, les deux boxeurs firent connaissance sans savoir qu'ils s'affronteraient l'année suivante sur un ring pour se disputer le titre de Champion du monde.

Mirna Loy est assise sur un sofa en velours rouge. Au-dessus, un grand miroir au cadre doré presque aussi large que la pièce est accroché au mur. À sa droite, une porte ouverte laisse entrer la lumière blanche et sèche du matin. Sinon, dans cette pièce qui a des allures de boudoir, il n'y a aucune fenêtre.

Sur la table devant le sofa, une lampe allumée éclaire le cendrier, un service à thé et les jambes croisées de l'actrice.

Mirna Loy ne porte qu'un déshabillé de soie blanc. Les coudes appuyés sur le genou, un rai de lumière dessine une ligne qui va du cou jusqu'à la naissance de ses seins. Ses pieds sont chaussés d'escarpins qui ne couvrent que les orteils. Des escarpins qu'elle ne doit mettre qu'à l'intérieur.

Ses boucles brunes tombent avec nonchalance sur sa nuque, ses épaules.

Elle n'est pas maquillée.

Mirna Loy est ce genre de femme qu'on voit à l'écran sortir du lit avec une mine resplendissante. Elle verse le thé dans sa tasse. Son autre main tient une longue et fine cigarette.

« Bien sûr, j'étais dans la salle l'autre soir.

Je ne suis pas une habituée des combats de boxe. Ce soir-là, c'était différent. Il se trouve que Primo Carnera et Max Baer ont participé à un film dans lequel je jouais l'an dernier. *The Prizefighter and the Lady* de Van Dyke. Primo n'était pas encore champion du monde et tous les deux ignoraient qu'ils se battraient un jour pour de bon.

Dans le film, c'est Max qui remportait le combat. Triste présage pour Primo...

Il y avait Jack Dempsey aussi. Il interprétait le rôle d'un arbitre.

Sur le tournage, Jack et Primo ont beaucoup parlé. Je pense qu'ils s'appréciaient. Jack pressentait que Primo remporterait le titre mondial. J'imagine que Jack a été généreux en conseils.

Je garde un très bon souvenir de Primo. Il est impressionnant par la taille mais c'est un homme doux, attentif aux autres. Toujours souriant, toujours curieux de tout ce qu'il se passait autour de lui — c'était sa première aventure cinématographique —, et il parlait avec tout le monde en dehors des prises.

Max, c'était l'opposé de Primo. Un sacré frimeur. Son premier mariage avec l'actrice Dorothy Dunbar venait de sombrer au fond d'un lac et, chaque jour, il arrivait au studio en limousine, accompagné d'une tripotée de godiches. Il les appelait ses « petites secrétaires ».

Je crois que Max rêvait de devenir un grand acteur. Il espérait devenir un grand boxeur. Il voulait tout à la fois et s'amuser en même temps.

J'ai entendu dire après le combat de l'autre soir que Max a observé de près la façon de boxer de Primo lors du tournage de *The Prizefighter*. Qu'alors, il avait compris que la droite de Carnera était vulnérable. Vous voyez, si on analyse cette remarque, on comprend quel personnage il est. Un type qui fait sans cesse le clown, qui donne l'impression de se moquer de tout sauf de l'œil de la caméra posé sur son visage de beau gosse et des fesses des donzelles qui se trémoussent autour de lui.

Mais il enviait Carnera d'être un grand boxeur. Je pense que si Primo n'avait pas révélé son talon d'Achille, s'il s'était montré puissant et intouchable, Max Baer n'aurait pas eu le courage de l'affronter.

Max s'était pris des raclées de tous les boxeurs que Primo avait vaincus. Il était évident alors que Primo conserverait son titre.

J'ai été triste pour lui, je vous l'ai dit... Je l'ai vu faire une grimace de douleur quand il s'est déchiré les ligaments de la cheville au premier round. Mais il s'est relevé aussitôt. Il n'a pas voulu montrer qu'il était cruellement blessé. Et il a eu tort.

Max s'est joué de lui.

Il l'a envoyé au tapis. Et cet abruti d'arbitre n'a pas levé le petit doigt pour interrompre le massacre. C'était insupportable en tant que spectateur d'assister à cette agonie. Primo ne pouvait tenir debout, se défendre, lutter sur un seul pied. Il devait souffrir le martyre. Il s'accrochait à son adversaire. Ils sont même tombés ensemble. C'était lamentable.

Max se relevait, il repoussait Primo. Il suffisait de le bousculer un peu pour qu'il perde l'équilibre. Max s'est mis à rire aux éclats alors que Primo tentait de retenir sa chute en s'accrochant aux cordes.

J'ai pleuré dans le public.

J'ai haï Max Baer.

C'était un combat indigne d'un championnat du monde. Ça ressemblait à l'exhibition d'un clown qui s'amuserait à taper sur un animal blessé. Et il a eu de la chance que Primo se fasse mal dès le début de la partie. Il s'est amusé comme le chat avec la souris. Il a joui de voir un homme mourir.

Max a cru prouver qu'il était un champion. Il n'a dupé personne. Je suis partie écœurée. J'ai regretté d'avoir fait ce film avec lui. Ce mariole s'est d'ailleurs pointé sur le ring avec un peignoir portant au dos le nom du personnage qu'il incarnait dans *The Prizefighter*. Un vilain calculateur. Un homme qui ne respecte pas son adversaire ne mérite pas sa récompense. Et il ne s'agit pas d'être un expert en matière de boxe pour prédire que sa ceinture ne lui tiendra pas les reins au chaud pendant des mois. Et je ne crois pas qu'il osera affronter Primo Carnera une seconde fois... »

L'AVIS DU MÉDECIN

À l'issue de son combat contre Max Baer, le médecin du Long Island Bowl de New York diagnostique chez le boxeur Primo Carnera :
une fracture du nez
deux côtes fêlées
une fracture de la cheville droite avec arrachement des ligaments.

15 JUIN 1934,
SILENCE À L'HÔPITAL SAINTE-ANNE,
NEW YORK

Aujourd'hui, silence de mort.
Si j'avais gagné mon combat hier soir, j'aurais eu droit au même festival que la première fois : télégramme de Mussolini, première page dans le Corriere della Sera, *le héros du peuple, etc.*
Si tu perds, c'est normal, t'es plus le héros. Sauf que c'est quand on perd qu'on a besoin de ses amis.
J'ai souffert.
J'ai tout fait pour garder mon titre. J'ai pas eu de chance en tombant sur ma cheville. Je la regarde

maintenant, je la reconnais pas. J'ai un ballon à la place. Et je pleure... Je pleure parce que j'ai mal. Je pleure parce que c'est pas juste d'avoir perdu comme ça. Je pleure parce que mon pays fait le mort et qu'il y a pas de fleurs à côté de mon lit.

Le seul abruti à m'avoir rendu une visite aujourd'hui, c'est Max Baer avec un photographe.

J'ai souri pour je sais plus quel journal.

J'avais envie de le tuer. Le presser comme un citron dans la main.

Il s'est moqué de moi pendant le combat. Je tenais à peine debout et c'était pas dur de m'envoyer au tapis avec une cheville foutue. Un gosse aurait fait pareil.

Pendant le match, nous sommes tombés une fois ensemble. À terre, il m'a dit : « Le dernier debout est un dégonflé ! »

Imbécile !

Ce match, ça ressemblait pas à un combat. Je me suis pas battu contre un boxeur. J'avais un clown en face de moi.

Des fois, il faisait croire qu'il envoyait les coups.

Je suis même tombé tout seul, toujours à cause de cette cheville et ce cretino, il a ri. Et aujourd'hui, il est habillé avec un beau costume, il vient faire le séducteur dans cet hôpital.

Et je parle pas de cet arbitre à la gomme qui faisait semblant de pas voir ma blessure. Il croyait peut-être que c'était du chichi ?

Je m'en fiche.

J'aurai ma revanche.

Je lui montrerai qui est le véritable champion.

Quand je serai dritto sur mes pieds, il m'aura pas une seconde fois. Son sourire de starlette, je le planterai au milieu du ring. Je serai à nouveau en première page du journal. Le Duce sera fier de moi. Il verra qu'il s'est pas trompé. Je suis fort, je suis puissant. Imbattable.

Hier, c'était un accident.

Hier, ça compte pour du beurre. J'ai pas perdu. Je suis un champion. On se débarrasse pas d'un héros comme ça. Laissez-moi du temps. Laissez-moi me reposer. Après, on verra. Je montrerai à tous que je suis capable de me battre. Faut pas croire ce que Léon raconte. On m'a manipulé au début de ma carrière. Mais, aujourd'hui, c'est fini. Je l'ai prouvé. Sharkey, on l'a pas acheté avec un tapis de dollars. Je l'ai assommé. J'ai montré au monde entier que j'étais le seul champion. Et je le prouverai une nouvelle fois... On se débarrasse pas d'un héros comme ça...

LES SCRUPULES
DE L'ARBITRE DONOVAN

« C'est vrai. J'aurais dû interrompre le combat avant le onzième round.

Je pensais aussi que Max Baer allait mettre K.-O. Carnera très vite. Ce qu'aurait fait n'importe quel boxeur professionnel digne de ce nom. Au lieu de ça, cet imbécile s'est amusé avec le géant italien. Il a fait durer son supplice. C'était la première fois de sa vie qu'il s'entraînait avec un minimum de sérieux. Il voulait montrer que son titre, il l'avait mérité. Qu'il ne l'avait pas gagné après un abandon.

Je pensais pas que Carnera perdrait son titre ce soir-là.

Baer n'était pas un prétendant crédible. Il a eu de la chance que le colosse se brise la cheville. Mais j'étais content.

Quand j'ai vu Carnera en difficulté, je me suis réjoui.

Ces salamalecs de fasciste, ces histoires de suprématie raciale, je ne supportais pas.

Attention ! J'ai jamais dit que j'avais l'intention dès le départ de privilégier Max Baer. Je suis un arbitre intègre. J'ai fait mon boulot de manière irréprochable.

Ensuite, Carnera, après cette chute qui lui avait été fatale, s'était relevé aussi sec. Il n'avait pas voulu montrer qu'il était blessé. Erreur ! Il refusait de s'avouer vaincu. Ce qu'il était en réalité.

La boxe, ça ne pardonne pas, vous savez. Si par-dessus le marché, la chance ne se pointe pas au rendez-vous, c'est fichu. Et Carnera l'a compris en deux ou trois rounds.

Et là, j'aurais dû interrompre.

Mais, comme je l'ai dit, je comptais sur Max Baer pour finir le travail avec justesse et professionnalisme. Je voulais qu'il inflige une trempe monumentale à ce géant et qu'il montre à ces guignols d'Italiens ce qu'on en fait de leur champion indéboulonnable.

Le problème, c'était que son adversaire ce soir-là s'appelait Max Baer. Plus joli cœur que boxeur. Pas futé, le bonhomme. Il se définissait lui-même ainsi : "Une cervelle à deux sous dans un corps d'un million de dollars." Fallait pas mettre un miroir sur un ring parce qu'il se trompait d'adversaire.

D'ailleurs, il n'a pas fait long feu, comme champion. Ce qui le motivait, ce n'était pas d'être un grand boxeur — encore qu'il en avait les moyens — mais que la boxe lui apporte le succès, les paillettes et les jolies demoiselles qui vont avec.

Je garde un triste souvenir de ce combat.

J'ai peu de remords quand même. Je ne supportais pas ces vagues nationalistes. J'aurais préféré voir un grand champion battre Carnera au lieu d'un clown. Parce que, du coup, ce fut un des championnats du monde les plus minables de l'histoire de la boxe. »

CHAPITRE 3

Kill me, Joe Louis!

Primo Carnera de Sequals, Frioul

Je voulais ma revanche.

Luigi Soresi et Bill Duffy, ils ont dit non.

Ils ont dit : Primo, nous allons t'offrir des vacances. Ou presque. Une tournée en Amérique du Sud. Montevideo. Buenos Aires. Les émigrés italiens meurent d'envie de te voir combattre. Sauf qu'ils ont pas un kopeck pour se déplacer jusqu'à New York.

Tu dois pas te dégonfler, Primo. Ils ont toujours été derrière toi, tu dois les remercier. Et puis, ça te fera la main. Tu pourras manger à ta faim. On t'arrangera quelques exhibitions et deux ou trois combats avec des boxeurs de seconde zone.

À ton retour de voyage, on te trouvera à New York un jeune premier qui sera encore fragile de l'esquive, un type qu'a du lait dans les gants et tu regagneras ta ceinture. On organisera une nouvelle rencontre avec Max le clown. *Enfin, on verra pour ça parce que, le gus, il brille plus des masses...*

Voilà ce qu'ils m'ont dit, Bill et Luigi.

J'irai en Argentine.

J'irai où ils voudront et je rentrerai en Amérique reprendre mon titre. Et après, je décroche.

Retour a casa.

Je veux revoir la Mamma, je veux revoir mon village et jouer à la briscola avec mes amis. Avec les gens de mon pays. Je veux marcher dans les champs derrière la maison. J'aurai de l'argent, je pourrais ouvrir un petit commerce. Une épicerie, par exemple. Un restaurant. Sauf que Sequals, c'est petit. Pour ouvrir un restaurant, je veux dire...

Je veux plus faire le guignol pour Mussolini. Ça suffit.

Quand je gagnais, que je remplissais les caisses du parti, tout le monde rappliquait. Et en grande tenue. Télégrammes, la radio, les journalistes, les photographes. Mais dès que je tombe au tapis, y a plus personne au bout du fil. Je deviens tout d'un coup la honte de la patrie.

Je veux juste retrouver mon pays.

Je veux boire du vin avec mon père et rosser mes frères.

Je veux le silence.

Je veux le vent dans les champs, je veux le vent des montagnes qui sont pas loin. Et je veux prendre le temps de vivre, le temps d'aimer pour une fois. Je veux plus des pin-up qui se cachent les yeux en bas du ring.

Je veux de l'amour. Je veux une femme et des enfants qui courent dans la maison, dans la rue et sur la place de Sequals avec les autres gamins du village.

Je veux être chez moi et qu'on me fiche la paix.

5 JANVIER 1935, LE NÈGRE
DE LUIGI SORESI, MONTEVIDEO

« Primo, tu te souviens de ce qu'a dit le Boss ? "Selon les lois de la morale fasciste, quand on a un ami, on marche à ses côtés jusqu'au bout."

Il s'agit pas de te laisser tomber en cours de route.

T'as pas tout donné, Primo. T'es dans le bel âge. T'as vu comment, moi et Bill, on s'occupe de toi ? C'est tout juste si on vient pas te border le soir quand tu vas au lit. Tu manges à ta faim, on envoie de l'argent à ta famille, on te choisit des adversaires en Amérique du Sud qui sont pas des méchants, histoire de te redonner du baume au cœur.

La grande nouvelle, mon ami, c'est que, avec l'oncle Bill, on te prépare un retour grandiose à New York et une ceinture de Champion du monde qui s'appelle Reviens.

La date est fixée au 25 juin.

Va falloir montrer de quoi tu es capable et que Little Italy oublie tes déboires avec cet ours de Max.

On t'a choisi un jeunot, cette fois. Un nègre qui s'appelle Joe Louis. Un type discret mais vigoureux qu'a pas les foies d'affronter un colosse de ton espèce. Parce que faut que tu le saches, Primo, quand on te cherche un adversaire, on dit pas que c'est pour te combattre. Sinon, c'est perdu d'avance. Le manager d'en face nous répond : Pas question de transformer mon poulain en sac de viande. Votre géant, là, il est capable d'offrir un *caffè cornetto* avec saint Pierre au plus courageux des boxeurs. On verra plus tard, quand mon poulain aura pris du poids. Voilà ce qu'ils disent toujours, les managers. Tu vois, Primo, la terreur de la boxe, c'est toi.

Joe Louis, on lui a promis un beau pactole s'il acceptait de te rencontrer. Un bonhomme courageux. Tu connais la jeunesse ? Sans peur et sans reproche ! Il se laissera pas faire, crois-moi, mais t'auras pas de difficultés à lui faire goûter de la poussière d'étoiles. On va t'entraîner comme il faut.

Parce que faut pas décevoir le Boss.

En ce moment, il prend le pouvoir en Éthiopie. Il étend son empire et que toi, l'orgueil national, tu terrasses un nègre, que tu prouves au monde entier la supériorité de la race italienne, ça peut qu'arranger les affaires du Boss, pigé? Un peu comme si t'étais l'ambassadeur de l'Italie sur le sol américain.

On croit tous en toi, Champion! Tu nous décevras pas, j'en suis sûr. Alors, au boulot! Et rappelle-toi les paroles du Boss :

"Je respecte les cals aux mains. Ils sont un titre de noblesse." »

NUIT D'ÉTÉ À SEQUALS
DEVANT LA RADIO

Arturo se souvient de cette nuit du 25 juin 1935. Comme si c'était hier.

Les fenêtres ouvertes pour laisser entrer un peu de fraîcheur. Il devait être trois ou quatre heures du matin et tout Sequals avait les yeux ouverts.

Tout Sequals et toute l'Italie.

Ceux qui n'avaient pas de poste radio à la maison rejoignaient les parents, les amis, les voisins, le café au coin de la rue pour entendre le match de ce soir.

Chacun avait apporté du vin, de la polenta grillée.

Personne ne craignait pour Primo Carnera. Personne n'avait entendu parler de ce nègre de Joe Louis. Personne — en Italie, en tout cas — ne se doutait que, avec Muhammad Ali, Joe Louis serait le plus grand boxeur du XXe siècle.

Le régime fasciste l'avait décrit comme un négrillon sans talent. Un jeune premier aux dents longues. Un sous-homme comme tous ceux qui peuplent l'Éthiopie et qu'il faut discipliner. Embrigader. Civiliser.

Mussolini attendait de Carnera qu'il inflige une correction nette et sans bavure.

Mussolini n'était pas inquiet.

Mussolini avait placé sa confiance en Carnera et déclaré au peuple italien que « nous ne pouvons, nous ne voulons faire des promesses si nous ne sommes pas mathématiquement sûrs de pouvoir les tenir ».

Le peuple italien rassuré se soûlait déjà avant l'issue du combat. Arturo raconte que l'excitation était si forte que personne n'était assis devant la radio. Lui et ses amis trinquaient en continu, ils mimaient le terrible gauche du colosse italien qui fracassait le crâne du nègre. L'Italie brandissait déjà la ceinture de lumière du Champion du monde au-dessus des faisceaux de la nation.

En direct de New York, le commentateur introduisait le combat, il faisait l'éloge de la chemise noire, Primo Carnera, du régime fasciste, de Mussolini Dieu le Père.

Après ce quart d'heure de propagande, les deux hommes passèrent entre les cordes du ring et, à la présentation de Carnera, tout le peuple italien debout devant leurs postes de radio put entendre les huées, les sifflements du public américain. Cette situation l'étonna parce qu'elle ne correspondait pas à l'amour que l'Amérique vouait au champion fasciste décrit dans la presse italienne. Ce soulèvement populaire sonnait faux. Comme un truquage. Mais enfin, en Italie, les gens continuaient de trinquer et faisaient mine d'avoir mal entendu. Boire plutôt deux fois qu'une. À la victoire. Faire passer la pilule.

Au cours des cinq premiers rounds, le commentateur ne manquait pas de vocabulaire pour évoquer le courage, la force, la puissance du valeureux champion — pour les Italiens, Carnera n'avait pas perdu son titre contre Max Baer. C'était un accident. Sauf que Joe Louis ne semblait jamais atteint. Pas même un genou à terre.

Tout juste si on en parlait. Le commentateur risqua un «Carnera qui n'est peut-être pas au mieux de sa forme».

À cet instant, à Sequals, on n'entend plus que le souffle du vent dans les maisons et la voix de la radio.

Au sixième round, le commentateur est à cours d'ellipses. Les coups rapides, secs du jeune Joe Louis frappent le visage de Primo Carnera. Sa mâchoire est durement touchée. Silence radio. Le champion du régime tombe une première fois à terre. Il se relève aussitôt, vif comme l'espoir de tout le peuple caché dans l'ombre de cette nuit du 25 juin. Joe Louis s'acharne sur sa victime.

Le commentateur déconfit ne peut plus mentir. La bouche en sang du colosse, la garde baissée, le voile devant ses yeux, les champs de Sequals, le sol du carré délimité par les cordes qui tangue. Joe Louis est nerveux, il vise juste, il frappe fort. Le héros de la nation s'en prend plein la poire. Il vacille. Il ne voit plus son adversaire, il entend le vent qui souffle sur les collines de Sequals. L'arbitre interrompt le match. Carnera est knock-out. Les verres éclatent contre les murs des maisons en Italie. Joe Louis lève les bras au ciel. Le peuple italien hurle son agonie. Joe Louis est le nouveau Champion du monde et il pense aux salamalecs de ces ritals en uniforme dans le désert d'Afrique. Joe Louis sait que l'Italie marty-rise ses frères d'Éthiopie. Le combat a été pour lui une leçon. Il fait nuit dans la Péninsule. La fête est gâchée à cause d'un Noir. Les hommes jurent de s'engager demain pour la campagne d'Éthiopie et de casser du nègre.

Mussolini a raison. On ne peut rien faire de ce peuple bon à rien. Bon à nous foutre en l'air notre champion du monde.

Les postes radio s'éteignent dans la fureur géné-rale. Les vieilles femmes jettent un dernier sort sur le nègre. On jure vengeance à Carnera. On crache par terre. Les hommes se séparent sans se saluer fascistement. De colère, ils se laissent tomber sur le lit. Cuvent leur vin. Espèrent que cette nuit n'aura été qu'un mauvais rêve. Et, avant de fer-mer l'œil, quarante-cinq millions d'Italiens rejet-tent la faute de l'échec de Primo Carnera sur le Duce qui, décidément, ne connaît rien à la boxe.

Le 26 juin 1935, le Minculpop intime l'ordre à la presse italienne de « ne pas publier de photo-graphies de Carnera à terre ».

LA COLÈRE DU MAÎTRE

Monsieur Soresi,

Si je vous ai confié Primo Carnera, ce n'était pas dans l'intention de ridiculiser le peuple italien aux yeux du monde entier.

À l'heure de notre gloire, à l'heure de notre conquête de l'Éthiopie, voilà que notre colosse se fait massacrer par un jeune nègre de rien du tout. J'espère que vous êtes conscient de la gravité du moment et du voile d'humiliation qui couvre l'Italie.

En outre, vous m'êtes redevable d'un poste radio neuf que j'ai jeté de colère par la fenêtre à la fin du combat et j'aurais souhaité, à vrai dire, qu'il se fracassât sur votre tête de vil moustachu.

Je vous attends d'un pied ferme à Rome et je compte que vous me fassiez part de vos explications quant à cet échec. Parce que, me suis-je dit, il existe bien une explication à ce drame. Et l'entendre de votre propre bouche m'apaisera, je vous le souhaite.

Sachez que, lors de votre prochaine arrivée en Italie, il n'y aura ni foule ni journalistes pour vous accueillir à l'aéroport Il n'y aura que moi.

Arrangez-vous avec votre manager américain pour que la chemise noire Carnera regagne sa

ceinture de champion du monde ou, si vous n'en
êtes pas capable, faites disparaître ce grand dadais
au plus vite de la mémoire du peuple fasciste
vaillant et victorieux.

Je vous tiens pour personnellement responsable
du moral de nos troupes sur le sol éthiopien et
j'attends de vous qu'il soit ragaillardi au plus tôt.

Le Duce.

DÉPRESSION À SEQUALS, FRIOUL

Plus le goût à rien.

En tout cas, pas celui de boxer.

*Contre Max Baer, je m'étais dit que c'était un
accident, que si je m'étais pas bousillé la cheville je
lui aurais filé sa raclée.*

Contre Joe Louis, je peux pas dire la même chose.

*O.K., je m'étais pas préparé comme je l'ai fait à
l'époque de Sharkey. Peut-être que Soresi et Duffy
m'ont trop rassuré en me disant qu'ils me trouve-
raient un type pas capable de tenir six rounds. Peut-
être que vouloir être de nouveau champion du
monde, c'est moins excitant que la première fois.
Peut-être que je me trouve des excuses qui servent à
rien parce que, tout simplement, j'ai rencontré un*

homme plus fort que moi. Un os, ce Joe Louis. Des muscles fins, puissants.

Le Duce, il peut dynamiter l'Éthiopie, il enlèvera pas la victoire d'un Noir sur un Italien. Joe Louis était fort et grand. J'ai eu ma leçon. Il a mérité de gagner son titre.

Depuis, je broie du noir. Pas à cause de Joe Louis. Je broie du noir parce que, pour la première fois de ma vie, j'ai senti qu'on me détestait quand je suis entré sur le ring. Le public me sifflait l'autre soir. Et j'ai compris que toute l'Amérique, elle voyait à travers moi Mussolini. Elle voyait en moi le mal. J'étais un fascista comme toute l'Italie. Ni plus ni moins. Sauf que j'ai jamais rien compris à ces histoires. Je m'habille comme tout le monde et je fais de mon mieux pour être un bon boxeur. Mon métier. Je suis capable de faire que ça.

Le lendemain de ma défaite, même chose qu'y a un an. Silence radio. Personne bouge. Personne me donne un mouchoir et dans mon vestiaire, je suis seul. J'ai mal partout parce que, après un combat, on se lève comme après une bonne nuit de sommeil. Personne est venu me sortir du lit.

J'en ai marre de ce cinéma.

Je veux rentrer en Italie. Je veux revoir ma mère, mes frères. Je veux vivre. J'ai donné beaucoup. Les défilés pour le régime, les photos avec 130 millions d'Italiens — je sais toujours pas où ils les ont trou-

vés... J'ai été d'accord pour toutes les mises en scène possibles même les plus incredibili. Bill et Luigi se sont rempli les poches. J'étais souvent ridicule. Jusqu'au bout du monde. J'ai accepté — je me file des claques encore maintenant — de me battre en Australie contre un kangourou à qui on a mis les gants. Tout le monde riait et moi, j'avais vraiment honte ce jour-là.

Je suis épuisé ce soir.

Et je broie du noir.

Dans ma chambre d'hôtel, je bois du whisky.

Je bois à la santé de Joe Louis et à son avenir de champion. Même si je me fais pas des illusions. Ce que la boxe te donne, elle te le reprend cent fois plus.

Et j'ai eu mon compte.

Mon titre de Champion du monde, je l'ai gagné et personne pourra me l'enlever. Ni Max, ni Joe Louis, ni Mussolini, ni Soresi, ni Duffy.

Je suis et je resterai à jamais Primo Carnera, Champion du monde de boxe des poids lourds et des kangourous.

III

PINA, MON AMOUR

*« La mia
è una donna favolosa. »*

SALVATORE TOMA

CHAPITRE 1

L'abandon

Primo Carnera de Sequals, Frioul

Pauvre comme Job, je rentre au pays.

Bill Duffy veut plus entendre parler de moi depuis que j'ai perdu mon titre contre Joe Louis.

Mussolini veut plus rien savoir d'un héros de la patrie qui se fait tabasser par un nègre.

Luigi Soresi m'a arrangé des autres combats. J'ai gagné contre des mauvais boxeurs, j'ai perdu contre des boxeurs minables. Luigi m'a dit : Primo, t'es fini. Il a sorti de la poche de son costume de marque un portefeuille, il m'a donné tout ce qui était dedans : 43 dollars et un billet de bateau. Un aller simple jusqu'à Naples en troisième classe. Ou sur le pont. À moi de choisir.

Primo, t'as besoin de repos, qu'il me dit.

Rentre chez toi quelque temps, va voir tes parents,

et on se retrouve à l'automne pour faire le point. T'as
eu ton heure de gloire en Amérique. Va falloir son-
ger à jeter l'éponge, Primo. À te la couler douce au
bord d'une rivière. Des cargaisons de jeunes boxeurs
arrivent sur le ring. Leurs mains sont fortes. Pas cas-
sées. Des jambes vives, rapides, élancées. Même leur
ombre n'a pas le temps de les suivre...

Sur le pont, je dis arrivederci Luigi.
Personne d'autre s'est déplacé pour me dire au
revoir.
Je suis seul, maintenant.
Les gens sur le bateau, ils me reconnaissent pas.
Sauf quelques-uns. Ils sont gênés, ils osent pas me
donner la main. Un ou deux, ils ont soulevé leur cha-
peau. Mais c'est tout. Parce qu'y a pas de mots pour
un homme qui perd tout. Parce que c'est triste la fin
d'un boxeur.

Ma dépression après le combat contre Joe Louis,
elle gênait les gens autour de moi. On faisait comme
si tout roulait. L'argent qu'ils perdaient par ma
faute, ça, j'en ai entendu parler! Ça m'a même fait
des bouchons dans les oreilles. Et quand j'ai réclamé
ma part avant de prendre le bateau, attenzione!
Scandale!

« *Mais quel argent, mon ami ? Tu perds tous tes combats. Et qui paye pendant ce temps les organisateurs, ton entraîneur, tes pompes taillées sur mesure, tes biftecks qui pèsent trois tonnes, tes serviettes-éponges qu'on jette sur le ring, ta chambre d'hôtel, tes tickets de métro pour venir jusqu'à cette salle d'entraînement que tu crois gratuite parce que t'as des yeux de joli cœur ?* »

Alors j'ai dit à Luigi, viens, on s'en va !

Je suis Primo Carnera.

J'étais Primo Carnera.

Je sais plus qui je suis maintenant.

Je me souviens de ce bateau qui m'a emmené en Italie avec, dans la valise, ma cintura de champion du monde.

J'avais une cabine de luxe et le champagne, il coulait des coupes dans les mains de mes amis.

Ce soir, je suis seul sur le pont. Je regarde New York qui devient petit, petit, petit. Et plus je suis loin, mieux ça va. Je regarde la mer et j'ai la panique. J'ai toujours eu peur de l'eau.

Je sais pas nager.

Ni dans l'eau.

Ni dans les embrouilles.

J'espère que quelqu'un m'attend à Sequals. Que mes amis, mes «compaesani», ils m'ont pas oublié. J'espère qu'on m'aime encore dans mon village.

J'ai pas assez d'argent pour faire croire que je rentre en vainqueur. Et puis, je pense que plus personne il en a des illusions...

DÉCEMBRE 1937, NEW YORK
CAFÉ DE BUDAPEST

Deux ex-champions du monde de boxe sont assis à une table du New York Café, Primo Carnera et l'Allemand Max Schmelling.

S'ils sont bons amis, c'est sans doute parce qu'ils n'ont jamais combattu ensemble. Ils se respectent l'un l'autre. Ils se soutiennent en assistant à leurs matchs, ne s'asseyant jamais loin du coin de l'ami sur le ring. Et Budapest est proche de l'Allemagne.

Dans le décor rococo-kitsch du café qui mélange dorures flamboyantes, colonnes torsadées et lustres belle époque, Max console Primo encore brumeux de son knock-out de la veille.

Les yeux baissés, gonflés, les mains autour de

son chocolat chaud, Primo écoute son ami le réconforter, lui dire que perdre un combat, ce n'est pas la fin du monde, qu'un boxeur n'est jamais à l'abri d'un mauvais coup, d'un accident. Max lui répète qu'il est un grand champion, qu'il doit reprendre un entraînement intensif, entouré d'une équipe qui croit en lui et qu'ainsi ils pourront même se retrouver sur un ring pour disputer le titre. Le champion de la race arienne, le champion de la race italienne. Tous deux marqués par le sceau du Noir, ils frémissent rien qu'en entendant murmurer le nom de Joe Louis.

— *Tu comprends pas, Max ? C'est fini. Je raccroche les gants une fois pour toutes. Tu m'as vu hier soir ? J'ai été battu par un amateur. Si ça continue, n'importe quel abruti avec une licence me mettra K.-O.*

Je résiste plus comme avant. Mon corps suit plus. Je monte sur le ring et je le sens pas. Je l'attends parce qu'il veut pas sortir du vestiaire. Ma volontà, elle est intacte, je passe entre les cordes mais mon corps, lui, il veut plus prendre de coups.

J'ai eu la gloire. Et maintenant, ça suffit. Faut savoir dire, un jour, je m'arrête.

Mussolini et tutti quanti, ils ont disparu. Je peux appeler, crier Aiuto ! mais j'entends que ma voix qui revient.

J'en peux plus, Max. Je veux rentrer. J'en veux

plus des filles dans les hôtels qu'il faut que je quitte
à six heures du matin pour courir. Pas une fois le
réveil à deux, le café, le beurre, la confiture, les
câlins. Et, aujourd'hui, je boxe encore parce que j'ai
besoin d'argent.

Ammazza! J'ai été Champion du monde et j'ai
dû demander à ma mère de me donner à manger.
Ma mère! Une paysanne qu'a pas une lire dans la
poche. J'étais rouge de honte.

J'ai de beaux vêtements, les amis de mon village,
ils me fêtent comme si on était toujours en 1933. Ils
savent tous que Duffy, Soresi, ils m'ont vidé les
poches. Ils savent que je cours après quelques billets
en allant me battre ici, à Budapest ou à Montevi-
deo, à Palerme et je sais plus où encore.

Y a plus la radio, plus les journalistes, et on n'ose
pas me demander le résultat de mon dernier match.

Je rentre, Max.

Je raccroche les gants.

Je trouve un travail pas trop dur et je me fais une
vie de pacha.

C'est dur, la chute d'un boxeur... Le monde est à
tes pieds et le jour où tu tombes sur le ring, t'es plus
rien. Personne est venu me ramasser au tapis, per-
sonne m'a aidé à enlever mes gants, à tourner le robi-
net de la douche, à rentrer jusqu'à l'hôtel. J'aurais
pu crever, tout le monde s'en fichait.

Ça vaut plus le coup que je me batte. T'es mon

*seul supporter, Max. Parce que t'es mon ami. Je te
dis merci, grazie! Mais ce soir, c'est moi qui paye et
je laisse mes gants à Budapest, en enfer ou ailleurs et
je rentre chez moi.*

*Basta! Fini le cirque, la comédie ou ce que tu
veux, Max, je suis fatigué de cette vie. Je suis vidé.
Elle m'a donné des grandes joies mais je l'ai payée,
cette vie, beaucoup trop chère. On m'a roulé sur le
conto. Et j'ai réglé pour tout le monde. Avec le sourire.*

Primo se lève. Il prend son ami Max Schmelling sous le bras. Son visage est empreint d'une
mélancolie qui colle au décor clinquant, chargé du
silence des habitants de Budapest. Une mélancolie qui colle aux violons des tziganes qui jouent
des airs devant la porte du New York Café en
échange d'une pièce. Primo fouille dans sa poche.
Il sort un billet qu'il donne au plus jeune gitan,
celui qui tend son chapeau.

CHAPITRE 2
Pina de Gorizia

Primo Carnera de Sequals, Frioul

Je le pensais sans y penser vraiment... Cette histoire de rencontrer une femme, de commencer l'avventura, la bague de fiançailles, l'anneau du mariage, les enfants et les balades du dimanche.

J'ai connu quelques femmes pendant mes voyages, des femmes qui me voulaient parce que j'étais célèbre et parce que mon physique de gigante, ça courait pas les rues. J'ai même cru des fois que j'étais amoureux. J'avais des sous-vêtements qui volaient dans ma chambre d'hôtel et de la compagnie pour la nuit.

Mes yeux ont rencontr* ceux de Pina quand je suis rentré en Italie juste après mon combat à Budapest. J'ai accepté d'inaugurer le magasin d'un ami de la famille à Gorizia. Et là, j'ai tout de suite senti que j'allais dans une direzione que je connaissais pas. Elle parlait avec des mots nouveaux pour moi. J'ai mis mes mains dans les poches parce que j'étais gêné.

J'avais chaud. J'ai pas vu ma tête dans un miroir
mais je suis sûr que mes oreilles, elles étaient rouges
comme des tomates. Elles me brûlaient. Et mes yeux,
je les décollais pas de cette femme. J'aurais vu la
Madonna que ç'aurait été pareil. Je voulais la sou-
lever, la prendre dans mes bras, l'emmener à Sequals,
nous promener dans les champs, lui montrer la nou-
velle maison que j'étais en train de construire. Je vou-
lais lui faire goûter la polenta de ma mère, lui offrir
du vin et puis, je voulais plus dormir, plus la voir
partir. Des trucs un peu bêtes, des trucs qui font rêver
les boxeurs.

C'était comme si je voyais une femme pour la pre-
mière fois de ma vie. Sa peau blanche, c'était du lait,
c'était de l'or. Elle avait des grands yeux, des longs
cils, je me fatiguais pas de les admirer. J'avais envie
de les toucher, de passer mon doigt dessus...

Une première rencontre, c'est pas une vraie ren-
contre. Ça se passe qu'avec les yeux et, dans la gorge,
y a cette boule coincée que j'arrivais pas à avaler.

Le plus dur, c'était quand j'ai demandé pour la
revoir. Une de ces trouilles! Panico totale! Pire
qu'avant de monter sur un ring, pire que dans les
vestiaires au championnat du monde...

PINA ET LES *MANONI* DE PRIMO

On parle souvent de coup de foudre.

Moi, ça m'a plutôt fait l'effet d'une douche. Une douche fraîche un soir d'été brûlant.

Notre premier contact, ce fut sa main. Une main douce et, même si je me répète, j'imaginais pas une main comme ça chez un boxeur. J'imaginais des cals, une peau qui râpe, sèche avec des cicatrices. Pas cette douceur... Il tenait ma main et il ne la lâchait plus. J'étais fascinée par le bonhomme. J'aurais volontiers laissé ma main emprisonnée dans la sienne mais nos amis autour commençaient à se rendre compte que Primo ressentait une gêne à mon égard, que je le troublais. D'ailleurs, il n'écoutait plus ce qu'on lui disait. Il me fixait avec ses grands yeux.

Par la suite, nous nous sommes revus et nous avons vite compris qu'il était inutile de jouer le jeu de : Tu m'aimes ? Un peu ? Beaucoup ? Oh, je ne sais pas, vois-tu...

On parlait tout le temps, on ne se cachait rien. Nous étions bien ensemble et nous craignions de voir tomber la nuit, de devoir nous séparer. Et je lisais dans les yeux de mon grand homme la mélancolie.

Avant de nous quitter, je prenais sa main gigantesque et j'y collais ma joue.

Ses mains m'ont rendue folle depuis le début. Encore aujourd'hui, je ne peux m'endormir que la tête posée sur une de ses mains.

Souvent, les gens se moquaient de lui. De ses pieds énormes, de ses mains énormes. Ou, s'ils ne s'en moquaient pas, ils s'amusaient à lui demander de les exhiber, de les comparer aux leurs.

Mes mains à moi sont des mains de femme et, à côté des siennes, certains diraient qu'on ne les voit pas. Qu'elles disparaissent. Moi, je lui dis que je les vois se fondre dans les siennes. Que c'est comme de les plonger dans l'eau et de les voir plus menues.

Alors que nous ne nous connaissions qu'à peine, je rêvais de les prendre et de les poser sur mes seins, sur mon ventre. De sentir leur chaleur. Et ainsi, je somnolais des heures en regardant les ombres au plafond. Maintenant, je suis plus directe, je dis, Primo! Fais-moi voir tes manoni et je les colle sur mes hanches et lui, il me soulève et je mets les miennes autour de son cou. Je me sens légère dans ses bras et je le vois qui me regarde avec toujours ce soupçon de tristesse et qui murmure avec sa voix si grave... *Pina... Amore...*

LE BONHEUR À GLENDALE

Je regarde cette photo.

Au dos, c'est écrit 1956 et je veux mourir.

Parce que je veux que ce soit la dernière image que mes yeux voient. Je veux partir et emporter avec moi cette photo où nous sommes tous les deux devant notre magasin à Glendale, en Californie.

Pina porte le pull blanc que je lui ai offert pour notre anniversaire de mariage.

Pina sourit comme chaque fois qu'on fait une photo.

Pina sourit comme tous les jours.

Son visage, il rayonne, on voit qu'elle sur la photo, moi, je vois qu'elle... Je lui dis qu'elle est belle. Plus belle encore que quand je l'ai connue.

Elle répond, toi aussi.

Tu mens, Pina! Je perds mes cheveux, mes muscles, ils fondent comme de la crema, je nage dans mon pantalon. La boxe m'a abîmé. Elle m'use encore. Me prend trop d'années.

Je sentais que quelque chose de pas catholique se passait dans mon corps. Les médecins, ils me rassuraient, c'est rien, Champion, c'est la fatigue, les nerfs à cause du travail, c'est à cause du rein qu'on vous a enlevé pendant la guerre. Vous aurez pas vingt ans une éternité. Encore moins si on a fait le boxeur.

Aujourd'hui, on est à Sequals.

Enfin.

Mon pays, ma maison, ma famille.

Je voulais revoir tout ça une dernière fois.

Et maintenant, je regarde des photos de Glendale, de nos années sans souci, du magasin et de nos enfants qui étudiaient. De ma femme si belle. Et je me demande pourquoi je dois partir si tôt. C'est court, vingt-neuf ans avec une femme. Le temps d'une jeunesse. Pas celui de vieillir ensemble...

Avec ma main, mes doigts si maigres, je touche cette photo. Je souris. Si je pouvais, là, je retournerais dedans...

Pina, mon amour...

Amore mio...

Qu'est-ce que je te fais vivre là ? Dis-moi...

CHAPITRE 3

Primo, mon amour

Vous raconter comme ça, de but en blanc, mes vingt-neuf années de mariage avec Primo Carnera, ça va être difficile... Parce que ça peut sembler long mais je n'ai pas vu passer tout ce temps. Parfois, j'aurais voulu l'arrêter, dire stop, maintenant, Primo, regardons-nous, respirons, embrassons-nous.

Malheureusement, ces pauses ne duraient pas, une porte s'ouvrait et le happait, me l'emmenait loin et, entre deux portes, Primo gagnait une ride, perdait un peu plus ses cheveux, il maigrissait même à vue d'œil à la fin...

Un mariage, ce n'est jamais simple.

Nous avons connu de grands bonheurs, nous avons eu deux beaux enfants dont nous sommes très fiers mais, comme tout le monde, nous avons eu notre lot de drames, nous avons souffert de la guerre et le passé de Primo ne nous a pas épargnés. Bien au contraire! On a voulu le rendre res-

ponsable, lui faire porter le chapeau, lui qui n'a su
que donner, lui qui ne savait pas dire non. Primo,
le bon géant, comme on l'appelle en Italie... Une
expression que je déteste. Comme dire le bon crétin, le naïf, le simplet qu'on abuse, à qui on fait
avaler des couleuvres. Naïf, je ne le nierais pas.
Encore que. J'aime mieux dire ingénu. Parce qu'il
avait quelque chose d'un gamin. Primo avait gardé
son sourire d'enfant. Il était incapable de cacher
ses sentiments. Ça se lisait sur la figure. Mentir, il
ne savait pas ou bien il rougissait comme une
tomate. À moi, il n'a jamais menti. Il n'aurait pas
osé. Il me respectait beaucoup. Et mon amour
pour lui n'a jamais diminué. Chaque fois qu'il me
regardait avec ses grands yeux, je me sentais belle,
je me sentais indispensable.

Primo était si gentil qu'il parlait avec tout le
monde sans a priori. Il ne s'étonnait jamais des
questions des autres. Il passait pour quelqu'un de
bavard à la limite... À la maison, il parlait beaucoup avec nos enfants. Faut dire que, souvent, il
était en voyage et, quand il rentrait, il culpabili-
sait d'avoir manqué à ses deux gamins et il discu-
tait des heures avec eux, il leur racontait dans tous
les détails ce qu'il avait vu et comment leur papa
le plus fort du monde avait terrassé ses adversaires.

Avec moi, Primo parlait peu. Il ne se gênait pas pour me dire quoi que ce soit mais il suffisait que nous nous regardions pour nous comprendre. Peut-être parce que, comme je vous le disais auparavant, sur son visage, on lisait ce qu'il pensait et que peut-être, sur le mien, il pouvait faire de même. Je ne sais pas. C'est à lui que vous auriez dû poser la question...

Quand j'ai connu Primo, il était au sommet de sa popularité. Impossible de faire deux pas sans que quelqu'un l'arrête pour lui serrer la main, lui demander un autographe. Primo ne perdait jamais son sourire et je dois dire que son attitude m'a beaucoup aidé à accepter que mon homme appartienne un peu à tous ces gens et à l'histoire de notre pays. J'ai quand même tenté plusieurs fois de couper court à certaines rencontres, qu'il soit plus en retrait, dans le but de le protéger, sans aucun doute. Jamais de caprice égoïste. Je n'étais pas ce genre de femme jalouse et possessive qui ne supporte pas d'être en dehors du champ de vision de son mari. L'amour, ce n'est pas ça. L'amour, c'est donner et donner. Pas faire des comptes. Même si, à la fin, on regrette d'avoir justement manqué de fermeté et de n'avoir pas gardé pour soi une plus grande part de l'autre. C'est faux de croire à la vie à deux. En tout cas, pas avec un homme célèbre. Je lui tenais une main et des mil-

liers de gens s'accrochaient à l'autre. Mais jamais
— je dis bien jamais ! — je ne lui ai demandé de
choisir entre moi et son public. Entre moi et une
vie sous les projecteurs. Entre moi et les coups
reçus dans le visage. Au contraire, je le soutenais
quoi qu'il décidât. Il voulait aller aux États-Unis,
nous nous y sommes installés. Il a voulu faire du
cinéma, j'ai assisté aux premières de films qui,
souvent, le ridiculisaient. Il a voulu être catcheur,
je l'ai encouragé alors que tous ses anciens amis de
la boxe le snobaient. Il a voulu mourir en Italie,
je l'ai accompagné et soigné jusqu'à la fin et je suis
rentrée seule en Californie...

Nous nous sommes rencontrés en 1938 et
notre mariage fut célébré l'année suivante. À
Sequals, bien sûr. Parce qu'il y avait notre nouvelle maison et parce que Primo était si lié à son
village que nous ne pouvions faire autrement.
Cela aurait créé un scandale. Sa mère m'aurait
étripée.

La notoriété de Primo, même s'il ne boxait
presque plus à cette époque, n'était pas entamée.
Il était toujours et encore le champion du monde
et les gens, ses compatriotes, se fichaient de ses
cuisantes défaites. Ils s'attendaient à ce qu'il
remonte sur le ring et file à nouveau la trempe à
ses adversaires. Moi, je sentais que Primo n'avait
plus très envie de se battre. Il était fatigué de

prendre des coups et de ne récupérer que quelques dollars. Il avait à présent une femme dans sa vie et nous préférions nous regarder dans le blanc des yeux.

Il y avait un monde fou à ce mariage. Tout le village — je dis bien TOUT — et les gens des alentours, les familles, les proches, les journalistes et les photographes. Je croyais épouser un prince. Il était vêtu d'un costume noir taillé sur mesure et je le trouvais beau, je le trouvais grand et fort. Ses yeux brillaient autant que la gomina dans ses cheveux. Ses yeux brillaient de bonheur et je l'ai senti au bord des larmes tout le temps qu'a duré la cérémonie. Et quand nous prononçâmes le oui traditionnel, les cris, les applaudissements furent accompagnés par les chapeaux des hommes du village qui volèrent jusqu'à nos pieds. Sante, le père de Primo, me serra dans ses bras avec la retenue d'un patriarche. Nos mères, c'était tout juste s'il n'avait pas fallu les ranimer avec des sels. Nous nous aimions, nous l'avions crié haut et fort et tous semblaient partager cette joie.

À la sortie de l'église, les flashs crépitèrent, Primo souriait jusqu'aux oreilles et je vis les doubles de Primo, les gigantographies — ces photos de Primo grandeur nature que les managers firent défiler dans toute l'Amérique pendant la tournée qui précéda son championnat du monde —, emportées par nos amis. Primo le boxeur, Primo l'acteur ne nous quittaient jamais. J'avais épousé un homme de spectacle plus qu'un sportif...

La fête dura trois jours et Primo était infatigable. Nous dansions comme des damnés. Et Primo était un bon valseur. Il ne semblait plus peser son poids, il se déplaçait avec légèreté, avec souplesse. Sa main dans mon dos, sa main sur mes hanches, il m'emmenait où il voulait. Puis vint le tour de son père Sante, puis de ses frères, Secondo et Severino, puis de chaque homme présent à la noce. Une performance! D'autant plus que j'étais chaussée d'escarpins avec de hauts talons. Masquer la différence de taille avec Primo était impossible, et pourtant je ne suis pas une petite femme mais je ne voulais pas paraître minuscule ce jour-là. En revanche, mes pieds ont souffert de cette coquetterie... J'ai mis des jours à m'en remettre.

Ensuite, pour notre voyage de noces, nous sommes partis pour Rome et nous avons logé au Plazza dans la via del Corso. On nous accueillit avec du champagne, des fleurs, le directeur de l'hôtel, la poignée de main devant les photographes et tout le cérémonial. C'était touchant et Primo se sentait flatté. Rassuré même... Sa carrière de boxeur finissant, il craignait sans cesse d'être oublié et, surtout, de ne plus être aimé.

Puis il y eut la guerre... J'étais à peine enceinte que Primo partit, enrôlé de force dans le Service du travail obligatoire, vous savez, la main-d'œuvre gratuite fournie par Mussolini aux troupes allemandes.

Primo ne mangeait pas à sa faim et il s'épuisait à construire des routes, des ponts. Je m'inquiétais parce que je le savais vulnérable, je savais que, s'il avait l'estomac vide, ça lui flanquait le moral à zéro. C'était déjà dur de vivre cette séparation alors que nous étions mariés depuis peu. Primo était comme beaucoup de gens du Frioul, attaché à sa terre, soucieux de ce que lui réserve le lendemain, craignant de manquer de nourriture, ça le renvoyait à ses dures années d'enfance. Je me serais privée sur ma ration de polenta si j'avais pu mais, hélas, à la maison, c'était aussi difficile de manger que sur le front. Ou presque.

Enfin, Primo eut la chance de connaître Max Schmelling qui avait aussi été champion du monde de boxe. Max était une gloire nationale, adulé par les nazis parce qu'il avait terrassé le nègre Joe Louis et montré la supériorité de la race aryenne — Max qui fut littéralement écrabouillé par le même Joe Louis en 1938. Max se fichait de la politique, se fichait du régime en Allemagne, il avait même réussi auprès de Hitler à conserver son entraîneur juif. Par contre, il dut se mettre au service de son pays en tant qu'officier dans les troupes aéroportées du IIIe Reich. Max usa de son influence et, ainsi, mon mari put manger convenablement et sa charge de travail fut allégée. Et vous imaginez bien que, en tant qu'ancien champion de boxe, on ne lui épargnait pas les tâches les plus difficiles ni les plus humiliantes. Parce que ça plaisait à ces gens de le voir souffrir et qu'il lui fallait sans cesse, par des jeux absurdes, prouver qu'il était l'homme le plus fort du monde. En revanche, aucun de ces lâches n'osa l'affronter sur son terrain, les mains et le torse nu, les yeux dans les yeux et se battre jusqu'à ce que l'un d'eux tombe.

Le problème, c'est que s'il fut aidé par Max, son ami, Primo ne cachait pas son amitié pour les Français, pour les Américains, et l'armée allemande, elle, n'appréciait pas beaucoup ce genre de critiques. Mais bientôt il put rentrer à la maison et malgré la guerre, les difficultés à travailler, à trouver de quoi nourrir notre famille, nous étions à nouveau réunis et nous nous serrions les coudes en attendant que les mauvais jours passent...

Je revois encore son visage d'enfant quand il a ouvert la porte de la maison en la fracassant presque pour hurler : « Pina, ma chérie, c'est fini la guerre ! Les Américains sont là pour nous sau-

ver ! » Primo m'a prise dans ses bras et m'a emme-
née dehors où un officier américain nous attendait dans sa jeep. Il voulait absolument nous
présenter à ses amis et à ses supérieurs. Tous se
souvenaient de Primo, tous l'avaient vu envoyer
Sharkey au septième ciel et ils étaient surpris de
trouver le champion dans ce trou perdu et qui faisait la queue comme tous les habitants du coin
pour avoir un peu de farine et des haricots secs.
Les Américains voulaient lui serrer la main et être
pris en photo à ses côtés. Primo était plus fier que
le pape et il répétait que ses amis américains
étaient généreux, qu'eux, ils s'y connaissaient en
matière de boxe, qu'un Italien se sentait en Amérique accueilli comme chez une tante, que mâcher
du chewing-gum, c'était la classe, qu'ils avaient la
chance de se fourrer du chocolat plein la panse,
etc., etc.

Enfin, je me souviendrai toujours de ce matin
de la fin 1944 où les partisans firent irruption
dans la maison, armés de fusils. Une chasse aux
sorcières qui avait des allures de règlement de
comptes entre gens du village... Nous connaissions tous ces hommes. Ils dirent à Primo de nous
embrasser, moi et les enfants, puis ils l'emmenè-

rent pour le juger devant un tribunal bricolé pour l'occasion.

On lui reprochait d'avoir été un ami de Mussolini. Reproche qu'on pouvait faire à cette époque à la quasi-totalité des Italiens...

J'avais l'impression de vivre un cauchemar, on nous avait sortis du lit, les enfants pleuraient dans les bras de leur père, moi je hurlais et menaçais les partisans, Primo se montrait fort, il ne voulait pas inquiéter les enfants. Il partit en leur disant : « Je leur flanque une correction et je reviens avec du lait pour la *collazione*. »

« C'était affreux. Je savais que j'allais mourir, que c'était la dernière fois que je voyais Pina, les enfants. Je voulais pas faire plaisir à ces cretini jaloux de mon succès, jaloux parce que j'ai eu plus de chocolat des Américains que leurs familles. Je voulais pas leur faire plaisir en les suppliant de me laisser vivre. Et, avant de mourir, je leur aurais collé quelques beignes au passage... Ce qui m'a fait mal, c'était qu'on disait que j'avais été l'ami de Mussolini. Ça me faisait rire, oui... Un ami qui m'appelait quand je gagnais mes combats et c'est tout. Dès les premiers nuages, il y avait plus personne et j'ai crevé de faim comme tout le monde à Sequals. J'ai même donné mon temps, mes forces et j'ai subi les umiliazioni quand j'ai fait

l'ouvrier au Service obligatoire. M'accuser de fascista
alors que 45 millions d'Italiens levaient leur bras en
l'air devant le Duce. Que moi, j'ai même pas voté,
je l'ai jamais soutenu, j'étais pas en Italie. Quand on
m'a dit de revenir dans mon pays, on m'a jeté des
rêves dans la tête, voilà toute l'histoire... Et ces imbe-
cili de partigiani qui hurlaient devant leur poste de
radio quand je me suis battu contre Sharkey à New
York, qui ont pleuré à mon retour en Italie avec ma
cintura de diamants, qui gonflaient la poitrine
quand ils disaient qu'ils venaient de Sequals, patria
di Primo Carnera, ces mêmes cretini, ils étaient prêts
à me descendre comme un chien dans la forêt... Je les
ai laissés vomir leurs accusazioni, leurs mensonges,
j'ai craché à la figure de ces salopards et ils avaient
la chance que mes mains étaient attachées dans le dos
parce que je te les aurais massacrés, moi... Ils ont
voulu me mettre un mouchoir sur les yeux mais j'ai
refusé, je voulais voir mes ennemis en face pour les
maudire avec mon dernier regard jusqu'à leur propre
mort. Je respirais fort, j'avais la rage. Je bavais, je
serrais les dents, ça servait à rien de parler, d'essayer
de crier mon innocenza. Je voulais pas fermer les yeux
et abandonner le combat. Avouer que j'étais l'ami de
Mussolini, plutôt crever... »

La porte fermée, j'ai dit aux enfants de rester sages et de m'attendre moi et papa.

J'ai couru jusqu'à la maison de Maurizio, le chef des partisans dans notre village, j'ai frappé de toutes mes forces. Il avait le visage blanc de savon à barbe et je lui ai tout raconté, je pleurais, je le suppliais de me croire, que Primo n'avait rien à voir avec le Duce, qu'il avait été manipulé comme tant de nos compatriotes, que nous avions déjà pas mal souffert de cette soi-disant amitié, qu'il devait m'aider à sauver mon mari. Il me prit par le bras et me fit monter dans la jeep garée devant la maison et nous avons filé à toute allure jusqu'en bordure de forêt, là où je les avais vus emmener Primo. Pendant le trajet, je priais pour qu'il ne soit pas mort, je priais Jésus, Marie, Joseph, saint Antoine de Padoue et je ne sais plus qui d'ailleurs. Maurizio, lui, s'essuyait le visage savonné avec la manche de sa chemise et jurait contre ses camarades partisans à la manque qu'il traitait de *stronzi*. Nous sommes arrivés à l'endroit où ils avaient emmené Primo. Il était à genoux sur la terre humide, les mains ligotées. En me voyant, il me sourit comme s'il avait vu la Madonna brillante de lumière apparaître dans le ciel au-dessus de sa tête. Maurizio hurlait de ne pas tirer. Il y eut un échange de mots que je ne répéterai pas ici, quelques bousculades mais, à la fin, je récupérai mon mari sain et sauf, le pantalon trempé parce qu'il s'était fait pipi dessus.

Après la guerre, Primo tenta un retour sur le ring. J'essayai de l'en dissuader mais vous savez ce que c'est, quand un homme a été champion, il ne rêve que d'une chose : reconquérir son titre. Il refuse d'admettre qu'il vieillit et que toutes les souffrances subies pendant ces années l'ont usé en grande partie parce qu'il ne mangeait pas à sa faim. Mais comme il ne sait pas faire autre chose et que, après tout, se battre, c'est son métier, il espère... Il remet ses gants en échange de quelques billets.

Moi, je lui ai dit, Primo, cet effort, ce n'est pas la peine, de l'argent, on en trouvera et du travail aussi. C'est dur pour tout le monde et c'est pas pour ça qu'il faut que tu retournes au combat. Tu as déjà beaucoup donné et puis tu ne peux plus récupérer les forces comme quand tu avais vingt ans...

Je parlais, je parlais, je le regardais droit dans les yeux mais ça revenait au même que de hurler dans le vent. Je l'ai laissé partir s'entraîner et, le soir du combat, je l'ai accompagné — ce que je ne faisais jamais auparavant — parce que je sentais qu'il aurait besoin de moi. Je vois encore ses grimaces de douleur lorsque j'appliquais le coton imbibé d'alcool sur ses plaies au visage. Des grimaces qu'il ne faisait pas avec ses soigneurs. À la maison, il n'avait plus besoin de jouer au dur. Il se laissait aller comme un gamin qui se réfugie dans les jupes de sa mère.

Au moins, ses défaites contre l'Italien Luigi Musina lui ont remis le cerveau à sa place. Il a compris que la boxe, ce n'était plus pour lui et moi, j'ai respiré un grand coup. Il s'inquiétait pour l'argent et de savoir comment il allait nourrir sa famille qui comptait une bouche en plus, celle de Giovanna, la petite dernière, aussi affamée que son père. Alors il eut cette chance qui vint des États-Unis où il était encore très connu. On lui proposa de s'exhiber dans des combats de catch.

Au début, il n'était pas chaud pour se lancer dans l'aventure. Il pensait que ça le ridiculiserait, qu'un ancien champion de boxe se prête à ces fausses bagarres, il disait que ce n'est jamais bien vu. Cela dit, la proposition était alléchante financièrement et, au bout du compte, il signa son contrat — que je relisais cette fois — et Primo repartit aux quatre coins du monde.

Aux combats de catch s'ajoutèrent des propositions pour le cinéma et, s'il n'a jamais été un grand acteur, Primo rêvait d'en devenir un. Hollywood lui ouvrit ses portes et lui fit jouer des rôles de colosse, d'indigène, un Frankenstein, etc.

Nous avons alors quitté l'Italie qui nous en avait fait voir les dernières années de la guerre. On se servit de Primo pour tout et n'importe quoi, il avait été le mariole du régime fasciste, on a failli le tuer pour cette raison, ça suffisait donc et nous n'avons pas beaucoup hésité à partir. Primo pourrait ainsi se préparer à ses exhibitions de catch très prisées en Amérique et tourner à Hollywood quand on le lui proposait.

Nous continuions cependant de vivre à l'italienne parce que, sans cela, il aurait été difficile pour Primo et les enfants de supporter cet exil.

Pour la première fois, nous goûtions une vie paisible et confortable. Partout les gens nous arrêtaient, ils demandaient à Primo un autographe. Sa popularité était presque aussi forte qu'au moment de son championnat du monde en 1933. Les enfants et moi, nous souffrions à nouveau de ses absences mais cette nouvelle période nous grisait et nous ne manquions de rien.

Malheureusement, il y eut cette sale histoire de *Plus dure sera la chute* qui nous causa beaucoup de tort. Tout le monde reconnaissait que le film s'inspirait de la vie de mon mari quand il était boxeur. Le problème était tel que beaucoup de gens venaient nous voir et nous posaient des questions sur les faits racontés dans le film, ils les voyaient comme des événements ayant eu lieu. L'amalgame devenait gênant. Primo intenta un procès contre les scénaristes qu'il perdit, évidemment, parce qu'on ne gagnait pas contre Hollywood... Cette affaire eut comme conséquence la fermeture définitive des portes des studios pour Primo qui dut se consoler ailleurs. Nous ouvrîmes alors un restaurant, puis un magasin de vin, spiritueux et huiles d'olive à Glendale, près de Los Angeles. Grâce à la réputation de mon mari, les clients ne manquaient jamais. Là encore, après une tempête, nous avions vécu de belles années jusqu'à la maladie de Primo et notre retour en Italie où il souhaitait mourir...

IV

MOURIR À SEQUALS

*« J'ai achevé mon combat contre le soleil
Et mon corps, ce vieil animal,
Ne connaît plus rien. »*

WALLACE STEVENS

CHAPITRE 1

De retour au pays

J'ai été convoqué hier après-midi dans le bureau de Maurizio, le rédacteur en chef de la *Gazzetta del Mezzogiorno*. Je revenais du café en face de l'immeuble et, sur mes lèvres, je sentais encore le goût de mon espresso et de la cigarette que je n'avais pas eu le temps de finir. J'ai grimpé les escaliers quatre à quatre parce que j'étais un novice dans le métier et que je devais montrer que j'en voulais, qu'il ne suffisait pas d'être le *fils de* pour gratter des bons papiers.

J'ai frappé deux coups à la porte et je suis entré sans attendre la réponse de Maurizio. Surpris par mon geste, il m'a adressé un sourire crispé qui sentait le *Tu-as-du-bol-que-je-connaisse-ton-oncle-sinon-je-t'expédiais-illico-au-sous-sol-de-la-rédaction-à-ficeler-les-journaux*. J'ai ensuite attendu qu'il m'invite à m'asseoir sur un siège. Maurizio m'a juste dit :

— J'ai cru entendre que tu appréciais la boxe.

— Vous avez de bonnes oreilles, monsieur.

Il m'a foudroyé du regard, j'en ai eu les mains moites aussitôt.

— Une dépêche est arrivée tout à l'heure. L'ancien champion du monde, Primo Carnera, arrive demain après-midi à Rome. Il rentre définitivement en Italie. J'ai cru comprendre qu'il n'était pas en grande forme.

Tu prends Giuseppe, le photographe, et vous allez le trouver, vous lui posez quelques questions sur les raisons de son retour. Vous lui souhaitez la bienvenue, lui serrez la patte et vous vous grouillez de faire demi-tour. Je veux l'article demain soir, on le fera paraître dans les premières pages du 21 mai.

Des précisions, mon jeune ami?

— Euh... non. Je crois que ça ira...

J'étais sonné. J'allais vivre mon rêve de gamin, voir, parler, toucher l'homme qui s'était battu contre Joe Louis, l'ami de Jack Dempsey, celui qui est à l'origine de la seule et unique cuite de la vie de mon père, un soir de 1933 lorsqu'il conquit son titre de champion du monde. Même le jour de son mariage, il n'a pas bu comme ça.

Tout à l'heure, après le boulot, je file le voir. Il n'en dormira pas de la nuit quand je lui dirai qui je vais interviewer.

J'essaierai de convaincre Mamma de le laisser venir avec moi et Giuseppe.

Ça va pas être de la tarte...

20 MAI 1967,
ROME, AÉROPORT DE FIUMICINO

Papà est à côté de moi. Mamma l'a laissé venir. Elle nous a embrassés au moment de partir comme si nous étions Ulysse et Télémaque sur le point de nous barrer huit années...

Papà a mis son plus beau costume noir — celui de son mariage qui le serre un peu à la taille — et des lunettes noires à la Marcello Mastroianni dans *Huit et demi*. Je porte aussi un costume noir et mes lunettes sont encore plus grosses que les siennes. Papà tient dans ses mains une vieille photo de Carnera. Moi, j'ai mon calepin.

L'avion atterrit et nous sommes une centaine de journalistes à nous précipiter au pied de la passerelle. Un vent léger et frais souffle en cette fin de journée de printemps. Tout le monde a l'air détendu, gai à l'idée de retrouver l'homme qui a fait vibrer l'Italie — et tous les émigrés italiens du monde entier.

La porte de l'avion s'ouvre et Pina, la femme de Carnera, descend la première.

Elle porte un chapeau noir, un tailleur parme et des gants en cuir noir qui lui couvrent les bras jusque sous les coudes. C'est une femme élégante qui sourit aux flashs des photographes, salue de la main ceux qui sont venus les accueillir ce soir à Fiumicino.

Carnera sort enfin de l'avion et les journalistes et tous les gens ici présents sont frappés de stupeur.

Carnera ne cache pas sa joie d'être rentré au pays mais il n'a de Carnera que le nom. Son corps est toujours aussi grand mais d'une maigreur insoutenable. On le croirait sorti d'un camp de concentration.

Je me retourne vers Papà et je le vois baisser les yeux et se les cacher dans les mains.

Carnera continue de saluer la foule, il serre la main à tous ceux qui lui en tendent une. Les proches de l'ancien champion du monde l'enserrent, le protègent et le guident jusqu'à une salle de l'aéroport prévue pour une conférence de presse.

Je suis muet.

Je ne peux pas poser de questions.

Les autres journalistes font leur travail. Giuseppe ne perd pas le nord et mitraille Primo et Pina avec son appareil.

Les journalistes sont polis. Ils demandent pourquoi le champion rentre aujourd'hui en Italie alors qu'il était devenu citoyen américain depuis 1953. Pina répond à sa place.

« Sur les conseils des médecins, nous sommes rentrés au pays pour soigner Primo. Mon mari a été gravement malade. Aujourd'hui, c'est un homme guéri. Nous sommes là pour qu'il se repose, qu'il se retrouve au milieu des siens et l'air de la campagne de Sequals devrait lui faire le plus grand bien. »

D'autres journalistes posent leurs questions.

À travers la fenêtre, je vois mon père seul sur la piste d'atterrissage.

Une mèche de ses cheveux s'agite à cause du vent. Ses mains sont dans le dos. Il est immobile. Il regarde l'avion qui a ramené son héros au pays. Il tient toujours la photo du jeune Carnera dans ses mains.

Sur le chemin du retour, mon père demeure silencieux.

Avec Giuseppe, nous discutons de l'état de santé de Carnera. On se dit que le pauvre vieux a morflé mais que Pina a raison, l'air du Frioul lui redonnera une seconde santé. Oui. un homme qui en a vu de toutes les couleurs n'a pas fini de se battre. Que, c'est sûr, dans trois mois il aura repris du poil de la bête et nous aurons tous effacé de notre mémoire cette image d'un homme souffrant.

Mourant, corrige Papà à l'arrière de la voiture. Giuseppe et moi, nous n'osons pas le contredire.

Je dépose Papà à la maison. Mamma court ouvrir la porte. Elle prend Papà dans ses bras. Elle n'a rien vu, n'a rien entendu, mais elle a senti.

Elle veut que je reste pour manger, me dit que ce sera prêt dans une minute.

Je ne peux pas, Mamma... Il faut que j'aille écrire cet article au journal, ça doit sortir demain matin.

Et pour la première fois depuis que je suis gamin, elle n'insiste pas pour que j'avale trois pâtes.

Primo Carnera meurt à Sequals le 29 juin 1967. Trente-quatre ans, jour pour jour, après avoir conquis son titre de champion du monde de boxe.

CHAPITRE 2

Une promenade en gondole

Mᵐᵉ Carnera m'a appelé hier.

Elle m'a annoncé que son mari venait de rendre son dernier souffle dans sa maison à Sequals.

Mon ami Primo est mort le 29 juin, trente-quatre ans, jour pour jour, après avoir gagné son titre de champion du monde contre Jack Sharkey.

Avec Primo, nous ne nous étions jamais perdus de vue. Je savais qu'il était gravement malade, j'ai entendu sa voix qui devenait toujours plus caverneuse chaque fois que je l'appelais. Une voix que je n'identifiais plus à la fin. Il me racontait qu'il maigrissait de façon vertigineuse. À notre dernière conversation au téléphone, il était sur le point de rentrer en Italie, de rentrer chez lui.

Je veux pas mourir en Amérique, je veux revoir mon pays une dernière fois.

Baisse pas les bras, Primo, t'es encore jeune et t'en as connu de plus dures, retourne chez toi, si tu veux, et profites-en pour te reposer, te refaire une santé. Je vais tâcher de me libérer et de te rendre une visite.

Oui, Max, viens me voir, ça me ferait plaisir..

Et voilà, pas eu le temps de dire ouf que Primo me lâche... Il a tenu à peine un mois. Je crois que je ne me rendais pas compte de son état. Je crois que j'avais peur aussi, peur de le voir diminué, amaigri. Mourant, à vrai dire...

J'ai pris l'avion ce matin pour Venise, je vais passer la nuit dans l'hôtel où Wagner est mort. Une chambre minuscule au-dessus de la mienne m'a dit le jeune homme qui m'a accompagné avec mes bagages. Je l'ai remercié avec des deutsche marks parce que je n'ai pas eu le temps de changer de l'argent.

J'ai ouvert ma valise et j'ai posé sur le grand lit mon costume noir, ma cravate noire et une chemise blanche.

Demain matin, je me lèverai tôt et on m'accompagnera à Sequals en voiture et, comme tant d'autres gens, nous marcherons derrière Primo.

Notre malheur à tous les deux, c'est d'avoir été champions du monde de boxe sous un régime totalitaire. Nous qui ne faisions pas de politique, nous qui nous entraînions dur en échange de dignité, de reconnaissance et pour nourrir nos familles, on nous a aussi fait porter le chapeau. Peut-être que nous aurions dû lutter davantage, nous positionner franchement contre, sauf que notre tête se trouvait ailleurs, que nous songions à nos ennemis. Ils n'étaient pas les bons, en fin de compte...

La dernière fois que je suis venu à Venise, c'était pour retrouver Primo.

Mussolini s'était réfugié à Salò où il espérait encore recréer un nouvel empire. L'Italie n'avait plus un sou et s'était ridiculisée en Éthiopie avec une armada tombée en panne sèche dans le désert. De quoi faire rire l'Afrique pendant au moins deux cents ans...

Hitler avait financé cette armée, il croyait encore pouvoir rallier les Italiens à sa cause. Primo et moi devions faire les marioles devant la caméra et nous jurer une amitié italo-germanique qui datait de Mathusalem pour je ne sais plus quelle raison. Et, en 1943, on ne rigolait pas avec Hitler. Je n'ai pas eu le choix et Primo non plus.

Nous nous étions quittés amers après cette

journée de tournage avec l'impression d'avoir été
des lâches.

J'avais pu, un temps, m'opposer à Hitler. Il
voulait que je vire mon entraîneur Jacobs parce
qu'il était juif. Je suis allé le voir en personne, je
lui ai alors expliqué qu'il avait joué un rôle fon-
damental dans la conquête de mon titre de champion du monde. Hitler n'a pas répondu. Il m'a
laissé faire et j'ai pu continuer de faire équipe avec
Jacobs. Mais j'étais en position de force à ce
moment. Je devais rencontrer dans les mois qui
suivirent Joe Louis et il était hors de question pour
le régime nazi que je perde contre un «nègre».
Cela dit, Hitler me fit payer mon insolence. J'ai
été le seul grand sportif du IIIe Reich à devoir ser-
vir sous les drapeaux. Mais je m'en fichais. J'en ai
d'ailleurs profité pour aider ceux que je connaissais. Primo, par exemple... Les troupes italiennes
qui collaboraient avec le Führer ont utilisé mon
ami comme une bête de somme. Il accomplissait
des travaux très durs, construire des routes, des
ponts, etc. Sans manger à sa faim. J'ai fait en sorte
qu'il retrouve un peu de bonne humeur et qu'il se
fatigue moins. Mais cet idiot ne se gênait pas pour
parler de ses amis les Français, de ses amis les
Américains. Alors, c'est sûr, ils ne l'ont pas
ménagé des masses non plus...

Enfin, comme on dit, c'était la guerre!

Je me dis une chose, Venise me porte la poisse. Ce n'est pas une ville pour moi. Après le carnaval pour le Reich, on me loge ici parce qu'il n'y a plus de place dans les hôtels autour de Sequals. Les gens sont venus de partout pour saluer une dernière fois le champion. J'ai ouvert la fenêtre de ma chambre qui donne sur le canal. Je fume une cigarette, ça sent le rance et j'ai envie de vomir. J'ai envie de pleurer.

Que c'est dur de voir mourir ses amis...

Je rencontre Primo chaque nuit dans mes rêves. Je nous revois dans une gondole. Nous sommes plus sereins et nous ne débitons plus les horreurs de la propagande qu'on nous a fait dire. On parle de boxe, de notre ami Jack Dempsey qui était notre idole. On parle de nos femmes et du bonheur de vivre là où nous avons grandi. Primo chante des airs de Caruso qu'il connaît par cœur. Nous sommes heureux à Venise et ça ne m'était jamais arrivé auparavant...

CHAPITRE 3
Mes funérailles

NINO BENVENUTI À SEQUALS,
LE 2 JUILLET 1967

Pina, la femme de Primo, m'a prié d'accompagner le corps de son mari jusqu'au tombeau familial dans le cimetière de Sequals.

Primo, mon ami, mon père, est mort dans son pays et je me suis réjoui parce que j'aurais été peiné de le savoir mort loin de son village.

Depuis mes premiers pas dans l'univers de la boxe, il a été là, dans mon dos, à surveiller mes gestes. Et même quand il était loin de moi, je le sentais caché dans l'ombre. Il m'appelait souvent au téléphone. Il se préoccupait de ma santé, de mes progrès. Et pourtant, il n'était pas le genre d'homme à être à son aise avec un téléphone.

La dernière fois que nous nous sommes vus, c'était à New York, le 17 avril 1967. Moins de trois mois avant qu'il ne me laisse tomber... Je combattais pour le titre de champion du monde des poids moyens face à l'Américain Griffith, moi, Nino Benvenuti, le macaroni grand et sec né à Trieste. Un homme de la terre, un homme du Frioul. Comme mon aîné Carnera, mon idole de toujours.

Primo était malade.

Je le savais atteint d'un cancer et, quand il est venu me voir dans le vestiaire pour me souhaiter bonne chance avant mon combat, j'ai été pris de vertige. Sa maigreur me flanqua un coup au menton et je vis des étoiles. Je me disais : les héros, ça ne meurt pas. Ou bien, sur un champ de bataille, sur le ring, le souffle coupé à cause des cordes, ou je ne sais quoi encore. Mais un cancer... Merde alors ! J'ai pris mon ami dans mes bras et je l'ai remercié de sa visite. Je lui ai dit à l'oreille que je me battrais pour lui, ce soir. Qu'il ne rentrerait pas en Floride sans avoir lui-même attaché ma ceinture de champion. Une ceinture que je lui devais.

Pina n'a rien dit. Son joli sourire en coin triste en disait long. Elle a regardé Primo. Elle a murmuré, Primo va bien maintenant. Nous allons partir en Italie pour qu'il se repose.

Le coup de fil de Pina ne m'a pas étonné. Primo sentait la mort quand je l'ai serré dans mes bras.

Le 2 juillet, j'ai pour ainsi dire tenu la main de mon ami.

Je marchais en tête du cortège, à côté de la voiture qui transportait son corps. Je portais sa ceinture de champion du monde sur mes hanches. C'était ma façon à moi de lui rendre un dernier hommage. Il faisait une chaleur... Un soleil fier et réconfortant.

Pina marchait derrière la voiture, le visage crispé, les yeux fermés parce qu'elle en avait assez vu. Gina, leur fille, tout de blanc vêtue jetait un sort à la mort et soutenait courageusement sa mère. Umberto, leur fils, était près de moi, près de son père.

De ma vie, je n'ai jamais vu de funérailles avec autant de monde. Je pense qu'il n'y avait pas un seul habitant de Sequals qui ne s'était déplacé jusque sur le chemin du cortège pour saluer celui qui a fait connaître leur village jusqu'en Amérique. J'ai vu ce jour-là des paysans, des gens simples, le chapeau abîmé, collé contre leur poitrine. J'ai vu les femmes, les enfants pleurer. J'ai vu le maire, les notables dans leur attitude la plus sombre. J'ai vu l'ancien champion du monde allemand Max Schmelling, l'ami de tous les moments, y compris les plus durs, sur les traces de son ami, le visage rentré, les poings serrés dans son dos et les lèvres crispées, je l'ai vu qui ne quittait pas des yeux la voiture, la mort qui lui chipait son ami, son frère. J'ai vu les photographes et l'on entendait seulement en dehors du bourdonnement des mouches et du vent dans les arbres le crépitement de leur multitude de flashs. J'ai vu les caméras de la télévision italienne, de la télévision américaine qui filmaient l'événement pour qu'on se souvienne de ce géant qui s'était élevé parmi les plus humbles et avait combattu la terre entière à la force de ses poings. J'ai pensé à ses ennemis, j'ai pensé à ses détracteurs, j'ai pensé à tous ces bonimenteurs qui ont cassé du sucre et du bois solide sur ses reins, et je les ai maudits parce que lui, Primo Carnera, n'a jamais été capable d'en vouloir à qui que ce soit.

Primo n'était pas un parvenu, il n'était pas imbu de lui-même et il n'a jamais renié ses origines.

S'il était parti vivre aux États-Unis, c'était d'abord parce que son pays l'avait humilié et que, après s'en être servi comme d'une marionnette, on avait voulu lui faire payer de sa vie les erreurs commises par tout le pays. Et ce n'était pas juste. Parce que, quand il s'agissait de donner, il avait toujours répondu présent à l'appel. Et bien que parti en Amérique, il n'oublia jamais ses proches, ni ses *compaesani*. Et c'est parmi ces gens de la terre qu'il a souhaité mourir.

CHAPITRE 4

Chaque jour connaît sa fin

... Parce que, à un moment, il faut partir.

Fermer le rideau.

Et peut-être avant, saluer le public. Celui qui dans mon dos m'a jamais quitté. Celui qui sera encore là quand le corbillard avancera tout doucement, en marchant.

Mourir, c'était long...

Je profite de ce jour, mon dernier jour parce que je sens plus le dolore et que ça me soulage. Je peux enfin pendant ma mort faire autre chose que prendre la température, chercher le pouls, avoir des piqûres, sentir la morfina chauffer dans mes veines. Mais maintenant, c'est plus la peine. Les sensazioni, elles ont disparu. Je vois que les images. Et j'entends de la musique. J'entends Bessie Louis qui chante Am I Blue? *dans mon oreille gauche. Elle chante sans les musiciens. A cappella comme on dit... Elle force pas sa voix, elle murmure. Je tourne la tête dans sa dire-*

*zione et je revois son visage posé sur ses bras au bord
de mon oreiller.*

*Bessie, comme c'est gentil d'être venue me faire
una visita...*

That's O.K., *Primo, That's* O.K., *et elle continue
de chanter, de murmurer.*

*Je regarde le plafond, je me concentre sur la voix
de Bessie et je me revois à New York, le 29 juin 1933
— ça fait trente-quatre ans, jour pour jour — et je
viens de gagner mon titre de champion du monde et
je caresse ma cintura comme si je la voyais pour la
première fois. Je me dis, je suis Champion du monde.
Moi, un paysan, un plouc du Frioul, un mort-de-
faim. Je suis seul au milieu du ring. La salle est dans
l'ombra. J'entends les applaudissements et je vois le
projecteur sur moi, des paillettes dorées tombent au-
dessus de ma tête comme si c'était de la pluie et je
souris.*

Je me dis que c'est étrange.

*J'ai voulu rentrer in Italia, rentrer dans mon pays
pour mourir. Et ici, dans ma maison, avec mes
proches, mes amis qui me veillent, c'est en Amérique
que je suis...*

*Derrière le ring, un rideau s'ouvre et je vois Pina
qui me fait signe de la rejoindre. Pina, mio amore,
avec la robe qu'elle portait le jour de notre rencontre... Pina prend ma main, l'embrasse et m'emmène avec elle là où il fait noir. Je vois plus rien,*

Pina non plus mais elle est tout contre moi. Pina me dit : « Mets ces lunettes de soleil, ce sont celles de Marcello Mastroianni dans Huit et demi*. » E poi, elle ouvre une porte et nous sommes tous les deux dans un champ près de la maison de mes parents. Le champ où je jouais avec mes frères quand on était des bambini. L'herbe est haute. Il y a beaucoup de vent. Mes cheveux sont décoiffés. Pina rit et subito, je me sens mélancolique. Malinconico... Je prends Pina dans mes bras et je lui dis que j'aimerais pas partir sans elle mais, en même temps, je me sens plus la force de rentrer à la maison, de combattre le dolore. Je lui dis que je suis mieux là dans le champ de Sequals. Pina s'enlève de mes bras et dit : « Va gambader, grand fou ! Je ne m'en vais pas bien loin. »*

Je cueille une violette, je la glisse au-dessus d'une oreille.

« Mais n'oublie pas, ne rentre pas tard ! »

Le vent souffle fort, ce soir.

Je veux marcher encore un peu dans l'herbe. Le soleil va pas tarder à se coucher. Chaque jour connaît sa fin et c'est tant mieux.

III

PINA, MON AMOUR

IV

MOURIR À SEQUALS

Composition et impression Bussière
à Saint-Amand (Cher), le 30 octobre 2006.
Dépôt légal : octobre 2006.
Numéro d'imprimeur : 62018-060391/1.

ISBN 2-07-030943-6./Imprimé en France.

137163